Der

Friedhof unserer Väter

Ein Gang durch die Sterbe-
und Ewigkeitslieder der evangelischen Kirche

Von

D. Paul Althaus

Rostock

Zweite, umgearbeitete und erweiterte Auflage

1923

Druck und Verlag von C. Bertelsmann in Gütersloh

Vorwort.

„Die nachfolgenden Betrachtungen über das Sterbe=
und Ewigkeitslied der lutherischen Kirche stellen
eine weitgehende Umarbeitung und Erweiterung von
Aufsätzen dar, die in der Allg. evang.=luther. Kirchen=
zeitung 1913, Nr. 48 ff. erschienen. Sie wollen nichts
anderes sein als ein Führer durch besonders wertvolle
Teile des Gesangbuches und setzen voraus, daß der
Leser sein Kirchengesangbuch aufgeschlagen hat und
selber Geist und Größe, die innere Nähe oder Ferne
des alten Liedes für sich in Sammlung erwägt und
erlebt." So begann das Vorwort zur 1. Auflage, zu
Anfang August 1915 in Brzeziny bei Lodz geschrieben.
Es ist mir eine große Freude, das Büchlein jetzt, nach
sieben Jahren, zum zweiten Male ausgehen lassen zu
dürfen. In schwersten Jahren, in denen der Friedhof
unserer Brüder unabsehbar groß wurde, haben diese
Blätter den Weg in manches Haus gefunden und ein

1*

wenig Führerdienst getan auf dem Friedhof der Väter. Dennoch kann das Heft heute nicht mehr in der alten Gestalt hinausziehen. Die auf den Krieg eingestellten Betrachtungen in der Einleitung des ersten Abschnittes bleiben jetzt fort, obgleich ich an ihnen nicht zu ändern wüßte. Vor allem habe ich die Darstellung in jedem Abschnitte zu bereichern und zu vertiefen gesucht. Den Betrachtungen über die Frömmigkeit des alten Luthertums ist mehr Raum und stärkerer Nachdruck gegeben. Manches bisher zu kurz behandelte Lied ist eingehender gewürdigt, manches übergangene jetzt berücksichtigt, die Dichtung der Brüdergemeine beachtet. Hie und da ist auch, bei erneuter Versenkung, mein Verhältnis zu einem Liede ein anderes geworden. Daß ich bei alledem Fr. Spitta und W. Nelle, dessen „Schlüssel zum evangelischen Gesangbuch für Rheinland und Westfalen" ich sorgfältig verglichen habe, manches danke, bekenne ich gern. In der Auswahl der Lieder hat sich das Büchlein nicht auf den Bestand der neueren Gesangbücher beschränkt. Im einzelnen waren mehrere Umstellungen nötig. Jedoch konnte ich mich nicht entschließen, dem Rate K. Egers (Theol. Lit.=Ztg. 1916 Nr. 11)

zu folgen und an die Stelle meiner inhaltlichen Einteilung (Begräbnislied usw.) eine chronologische zu setzen.
Die Nachteile meines Vorgehens sind mir bewußt:
mehrere Lieder kommen an zwei Stellen vor, Zer-
reißungen und Wiederholungen können nicht ganz ver-
mieden werden. Aber diese Mängel werden, so scheint
mir, durch den Vorzug des eingeschlagenen Weges
reichlich aufgewogen: der Inhalt der Lieder, die
Frömmigkeit des „Friedhofs der Väter" kommt viel
stärker zur Geltung bei der Sammlung auf die einzelnen Gegenstände, Motive und Arten als bei durch-
gehend zeitlicher Anordnung. Das Büchlein will — eine
mir erwünschte Ergänzung zu dem dogmatischen Ent-
wurf der Eschatologie — in Form eines Gesangbuch-
führers eine Einleitung der Gemeinde in die „letzten
Dinge" sein. Dieser Absicht entspricht nur die gewählte
Form. Und tritt nicht übrigens gerade bei ihr in
den einzelnen Abschnitten die geschichtliche Entwicklung
besonders deutlich heraus? Bietet das Buch an einigen
Stellen Andeutungen zur Geschichte der evangelischen
Frömmigkeit, so war das eben bei dieser Einteilung
möglich. — Um die Brauchbarkeit des Heftes zu er-

höhen, ist ein Verzeichnis der behandelten oder auch
nur berührten Lieder beigegeben. Darin erhalten auch
die im Texte angeführten oder eben angedeuteten einzelnen Liedesworte ihren Heimatnachweis. Ferner
sind die Fundstellen für solche Lieder, die unsere
heutigen Gesangbücher nicht bieten, und Belege meiner
Darstellung sowie Hinweise für den, der den Dingen
weiter nachgehen will, in Anmerkungen beigefügt. Daß
diese, vom Standorte des Hymnologen aus gesehen,
ungleichmäßig, ja zufällig sind, verhehle ich mir nicht.
Nach wie vor erhebt das Büchlein keine gelehrten
Ansprüche. Es will bleiben, was es war. Möchte
es bei seinem zweiten Ausgange die alten Freunde
nicht enttäuschen und neue gewinnen — nicht für sich
selbst zuletzt, aber für den Friedhof unserer Väter!

Rostock, im Oktober 1922.

Inhaltsübersicht.

1. An der Pforte.

Reifes und rechtes Leben gibt es nur dort, wo Menschen innerlich dem Tode gegenübergestanden und klare Stellung zu ihm gefunden haben. Erschienen manche unserer Brüder, wenn sie aus dem Schützengraben auf Urlaub kamen, in aller ihrer Jugend schon wie Frühvollendete, so war es, weil Goethes Wort über Schiller von ihnen galt:

> „Er hatte früh das strenge Wort gelesen,
> dem Leiden war er, war dem Tod vertraut."

Weil sie zu sterben bereit waren, standen sie in einer unvergleichlichen Lebendigkeit unter uns. Die höchst persönliche Frage nach dem Sinne des Lebens, ohne deren Lösung unser wichtig scheinendes Tun im Grunde zielloses und unwürdiges Gemächte bleibt, findet wahrhaft tiefe Antwort nur angesichts des Todes. Das Lebensrätsel birgt in sich die Todesfrage.

Jeder muß um seine Antwort selber ringen. Aber ich bin nicht der erste, der fragt und grübelt und das Geheimnis des Wirklichen zu deuten sucht. Diese Frage steht jedem, der Menschenantlitz trägt, irgendwann einmal in den Augen. Sie ist so alt wie die

Menschheit selbst, nicht modern nur, aber auch nicht nur antik, sondern heute wie gestern jung und über alles wichtig. Ich will in die Gemeinde der Fragenden treten und mit den Brüdern um ein lichtendes, lösendes Wort ringen.

Mitten unter dem Volke der Fragenden steht eine Schar der freudig Bekennenden. Auch die Bekennenden sind und bleiben Fragende. Nicht daß sie des Rätsels Lösewort gefunden hätten oder von sich selber das Geheimnis zu deuten wüßten. Sie sind gerade so arm wie wir alle, „das Volk, das im Finstern wandelt." Wäre es anders — wir würden nicht auf sie hören, aus Gottesfurcht nicht, denn das Verharren in einer Frage, die Gott stellt, ist gehorsamer und frommer als selbstgemachte Antworten, in denen wir um der Einheit und Freiheit unseres Lebens willen zur Ruhe kommen möchten. Wenn Gott es nun wollte, daß wir im Schatten des Todes sitzen blieben, ohne „lösendes Wort", ohne befreiende Erkenntnis?! Die Männer des Alten Testaments haben über den Tod geschwiegen, — aus Furcht Gottes, der sterben hieß ohne Licht, ohne Hoffnung, die der „Persönlichkeit" ihre Selbst= behauptung gegenüber dem Schicksal ermöglichte. Auch das, gerade das ist echte Frömmigkeit. Aber eben aus diesen Männern, aus ihrer Schule kommt die Gemeinde der Bekennenden. Wo ihnen alle Worte vergingen, wo ihnen die Unsterblichkeitsgedanken der Philosophen als Sünde erschienen, weil sie Gott fürchteten, wo gerade ihr Gehorsam sie schweigen hieß, da ist ein Gotteswort an sie ergangen, das ihrem Fragen und Schweigen das freudezitternde Glauben und Bekennen abgewann, nein, immer wieder abgewinnt. Ein Gottes= wort, das also sie gerade nicht haben, nicht begreifen, von dem sie vielmehr wider Hoffen und Verstehen er= griffen wurden. Ein Gotteswort, in keines Menschen Herz gekommen, daher nie vor uns und anderen irgendwie zu begründen, denn es ist selbst der Grund; gerade darum, weil es nicht begründbar ist, der Grund, der meinen Anker ewig hält. Ich weiß, daß Gott auch außerhalb des Lichtkreises Jesu diesem und jenem das große Wort ins Herz gesprochen hat und sprechen kann. Uns ist Jesus Christus, der Gekreuzigte und Auferstandene dieses helle Wort Gottes. In seinem Lichte hebt ein Begreifen des Sterbens an. Eine Erlösung vom Sterben als Erlösung zu freudigem Sterben, zum Sterben als Form unseres ganzen Lebens, denn wir können vor Gott nur so leben, daß wir ihm sterben, sein Urteil über uns heiligen, in seinem Dienst das Leben hingeben. Das ist dann wirklich „Leben". Aber das Leben Gottes und das Leben vor Gott ist, von uns aus betrachtet, immer ein Sterben. Gottes Leben ist in der Geschichte nur als Sterben seiner Knechte unter seiner Hand, auf seinen Willen da. Das gilt gerade von dem Sohne. Das Golgatha des Sohnes ist das Wort Gottes über Leben und Sterben, Golgatha im Osterlichte.

Von daher kommt die Schar der Bekennenden. Seitdem hallen neue Worte über das Todesrätsel durch die Welt. Und wie haben sich die Totenäcker, in die wir die Leichen bergen, verwandelt! Der Kulturhistoriker W. H. Riehl sagt einmal: „Will ich das Gemüt eines Volkes kennen lernen, so suche ich seine Friedhöfe auf." Ein feines Wort — der Krieg, die Soldatenfriedhöfe draußen haben die Richtigkeit aufs neue bewährt. Aber es führt nicht tief genug. Wir fügen hinzu: will ich eines Volkes Herzensstellung zu dem Gottesworte Jesus Christus kennen lernen, so gehe ich auf seine Friedhöfe. Wieviel Verarmung und Leere der deutschen Seele, wieviele Hilflosigkeit und Trostlosigkeit offenbaren heute die Grabinschriften unserer Friedhöfe! Der Menschheit ganzer Jammer faßt uns an. Wen die Angst um unser Volk noch nicht gepackt hätte, der gehe an seine Totenstätten und lese, was die Lebenden als Bekenntnis vom Leben und Tode über den Platz ihrer Toten schrieben. Aber das ist doch nicht alles. Wir begegnen auf den gleichen Friedhöfen, mitten unter den anderen Gräbern, der Gemeinde der Bekennenden. Da stehen die stillen Kreuze, auf denen schwere Not und hartes Sterben, seliges Triumphieren,

getroste Zuversicht und Liebe, die über den Tod Herr
wird, bezeugt ist. Ein Kindergrab; zerrissene Eltern-
herzen sind still geworden in der Zuversicht: „Er wird
die Lämmer in seine Arme sammeln" (Jes. 40, 11).
Mit uns aber hält der Friedhof gar gewaltige Zwiesprache. Wir sollten oft hinausgehen. Da draußen
fällt manche Hülle, hinter der wir uns bargen vor
dem Ernste der Todesfrage. „Hier wandl' ich über
meinem Grabe nun!" Die Kreuze, die das Evangelium
der Bekennenden bezeugen, fragen mich: Glaubst du
das? „Hier ruht in Gott . . ." — glaubst du das?
Dem Müden aber, dem Trauernden mit den unsicheren
Schritten, werden die Kreuze und Bekenntnisse wie ein
Chor seiner Brüder, der ihm Gottes großes Wort tief
in das ringende Herz singt. Christenfriedhöfe sind
Seelsorger ohnegleichen.

Wir haben einen solchen Gottesacker auch in unserem
Gesangbuche: die Lieder „von den letzten Dingen".
Hier stört kein fremdartiger Grabstein, keine welt-
selige oder trostlose Inschrift, der Friedhof unserer
Väter, den uns unser Gesangbuch eröffnet, zeigt nur
Christengräber; über jedem ragt ein Kreuz, jedes redet
von der seligen Ewigkeit. Wieviele von denen, die
vorangegangen sind, haben sich hier schon geruht. An
unseren lutherischen Sterbeliedern haften wohl in jedem
Christenhause Erinnerungen, in schweren letzten Stunden

hat sich an ihnen der Glaube einer großen Schar Heimgegangener aufgerichtet. Sie sind mit Blut und Schweiß gezeichnet. Ehrfürchtig treten wir in den Friedhof der Väter ein. Wir, die da ringen um Klarheit und Freudigkeit im Angesichte des Todes, suchen die Gemeinschaft der Väter in ihren Liedern von Tod und Ewigkeit.

Die lutherische Kirche besitzt einen großen Reichtum an Sterbe= und Ewigkeitsgesängen, unter ihnen, im Verhältnis zu anderen Liedergruppen, besonders viele ganz kostbare Lieder. Die klare, starke Freude, die bei aller Bewegung des Fragens, Ringens und Sehnens feierlich aus ihnen klingt, gewinnt uns von vornherein. Und doch — wird nicht gerade hier der Abstand der Zeiten besonders fühlbar? Das Sterbe= und Ewigkeits= lied steht innerhalb der altlutherischen kirchlichen Dichtung nach Umfang und Bedeutung an einer der ersten Stellen. Stoßen wir nicht eben da auf die stärkste Schranke, die offenkundige Einseitigkeit des alten Luthertums? Über der Sammlung auf die Frage des seligen Sterbens und der Ewigkeit haben die Väter vieles andere, das uns zum Christenstande gehört, übersehen, hintangesetzt oder doch verschwiegen. Kommen wir darüber hinweg zum dankbaren Horchen auf ihren Sterbegesang? Das Christentum unserer Tage ist — auch im guten Sinne — diesseitiger als in früheren Zeiten. Für den Herrn zu

wirken mit aller Manneskraft, seine Fahnen weiter=
zutragen — das beherrscht heute die Gedanken gerade
der Männer, zu denen wir aufzuschauen gewohnt sind.
Daher hat man jetzt soviel Verlangen nach Liedern,
in denen von dem heiligen „Vorwärts" im Leben des
Christen und in der Geschichte des Reiches Gottes die
Rede ist. Man vermißt unter den alten lutherischen
Kirchenliedern oft den Ton, den die vorwärtsdrängende,
die kämpfende und siegende Kirche singen möchte:
Vexilla regis prodeunt, „des Königs Fahnen gehn
voran", die Melodie des Angriffs im heiligen Kriege,
das Jauchzen der Sieger, das „Ich lasse dich nicht, du
segnest mich denn!" als das starke Flehen der Kirche
in dem Ringen um die Vollkommenheit ihrer Glieder,
in der Not der bitteren Feindschaft. Seit Luther seine
Trutzlieder sang, hat die Kirche diese starke Saite „Den
Sieg woll'n wir erlangen!" nur selten wieder gerührt,
bis zu den Tagen des Pietismus. Damals stimmten
edle Sänger die Saiten auch zum Kampfliede. Wir
danken ihnen einige Heiligungslieder, die wenigstens in
den Ansätzen und Grundmotiven, vielfach auch in der
Durchführung mächtig sind: so Arends „Rüstet euch,
ihr Christenleute", oder Gottfried Arnolds großes,
geistesmächtiges und willenskräftiges Heiligungsgebet:
„O Durchbrecher aller Bande" mit dem im deutschen
Liede ganz neuen Tone: „Herrscher, herrsche, Sieger,

siege, König, brauch dein Regiment," oder Schröders,
des früh verstorbenen Francke=Schülers, „Jesu, hilf
siegen, du Fürste des Lebens," die starke Bitte eines
tapferen Kämpfers. Dazu gaben uns die Männer des
Halleschen Pietismus die großen Weckrufe an die Kirche,
wie Eusebius Schmidts „Fahre fort", und die Erstlinge
des Missionsliedes, z. B. in Bogatzkys fortreißendem
Gebetsliede: „Wach auf, du Geist der ersten Zeugen."
Für diese Gesänge und für verwandte Lieder, die dem
Pietismus des 19. Jahrhunderts, z. B. Knapp und
Krummacher, entstammen, bringt unser Geschlecht weit=
hin viel mehr Verständnis auf als für das Kreuzlied
und den Sterbegesang des alten Luthertums. Das
Gegenwartschristentum der Arbeit und Tat, von Ge=
danken der Inneren und Äußeren Mission beherrscht,
verlangt nach dem Tone jener alten Pietistenlieder, in
denen es in heiliger Stunde sein Kämpfen und Hoffen,
seine Not und seine Siege vor Gott ausströmen könnte.
Es durchlebt Erfahrungen, die es oft nicht in den
Tönen des alten lutherischen Liedes ausdrücken kann.
Und weil der Lieder des Vorwärtsdrängens nicht viele
sind,[1]) greift man in der Not wohl auch zu minder=
wertigem, oft angelsächsisch geprägtem Gut — wenn
nur das Vorwärtsdrängen hindurchgeht.

---

[1]) Unter den neueren Kampfesliedern geht in der mann=
haften Wucht des Vätergeistes vor allem Friedrich Osers

Der Abstand ist nicht zu leugnen. In der starken,
ja einseitigen Pflege des Sterbe= und Ewigkeitsliedes
wirkt zunächst die besondere geschichtliche Lage des alten
Luthertums. Wenigstens gilt das für das 17. Jahrhundert. Gerade die größten Gesänge dieser Gruppe

„Geistliches Kriegslied nach Jes. 51⁹“. Dieser Schweizer Bettags=
gesang verdient reichlich unter uns laut zu werden. Hier folgen
drei von den vier Strophen:

> „Zeuch an die Macht, du Arm des Herrn,
> wohlauf! und hilf uns streiten!
> Noch hilfst du deinem Volke gern,
> wie du getan vorzeiten.
> Wir sind im Kampfe Tag und Nacht,
> o Herr, nimm gnädig uns in acht
> und steh uns an der Seiten.“

> „Drängt uns der Feind auch um und um,
> wir lassen uns nicht grauen;
> du wirst aus deinem Heiligtum
> schon unsre Not erschauen.
> Fort streiten wir in deiner Hut
> und widerstehen bis aufs Blut
> und wollen dir nur trauen!“

> „Herr, du bist Gott! In deine Hand
> o laß getrost uns fallen!
> Wie du geholfen unserm Land,
> so hilfst du fort noch allen,
> die dir vertraun und deinem Bund
> und freudig dir von Herzensgrund
> ihr Loblied lassen schallen.“

Althaus, Der Friedhof unserer Väter.　2

stammen zum guten Teile aus der Zeit des 30jährigen
Krieges, jenen Tagen der Drangsal, in denen die Ge=
müter von der Not dieses Lebens sich voll Verlangen
nach der himmlischen Freudenstätte wandten und auch
das dunkle Tor des Todes mit freudiger Sehnsucht
grüßten. Auch sonst sahen jene Zeiten, schon das aus=
gehende 16. Jahrhundert, viel Not, viele Pestseuchen.
Man muß einmal in das Leben eines Mannes wie
Valerius Herberger oder Johann Heermann, den uns
Philipp Wackernagel durch seine treffliche Vorrede zu
Heermanns Liedern nahegebracht hat, hineinschauen,
um verstehen zu lernen, weshalb die Väter so oft
von dem „Jammertale" hier unten und dem Abwischen
der Tränen dort oben singen. In dem Hoffnungsblicke
auf die himmlische Herrlichkeit fand Johann Heermann
die Kraft, die große Not der Verfolgungen zu tragen
— wie seine „Tränenlieder" zeigen. Über manches
Leben jener Tage, über die Leidensbahn ganzer Gegen=
den ist sein Stoßgebet „zu Gott in Not" gesprochen:
„Aus einer Not hilf mir, Gott, in die andere Not,
und wann die letzte kommt, verlaß mich nicht, mein
Gott." Indessen diese Richtung der Gedanken auf
Ewigkeit und Sterben war — und das ist das andere,
was wir betonen — der lutherischen Ausprägung christ=
licher Frömmigkeit, dieser „tiefsinnigsten Ausgestaltung
des christlichen Gedankens" (M. Lehmann), schon von

jeher eingegeben. Wir wissen, wie nahe Luther und
seine Zeit das Endgericht und die Wiederkunft des
Herrn erwarteten. Auch die nächsten Generationen
lebten in dem Gefühle, es sei nun der „Abend der
Welt", wie es in dem hannoverschen Reformationsfest=
Gebete ausgesprochen ist. Mochte immer dieser Gedanke
lehrhaft und theoretisch keine Bedeutung gewinnen (die
Dogmatik hat noch nie den ganzen Reichtum frommen
Lebens erschöpft), praktisch hat die Grundstimmung,
aus der er hervorging, die Frömmigkeit auf das
stärkste beeinflußt. Man wußte sich am Ende der
Geschichte des Christentums. Die Bedeutung der irdischen
Geschichte, die Zuversicht auf ein Wachsen des Reiches
Gottes auf Erden, daher der Drang zur Aktivität, der
Eifer, für dieses Kommen des Gottesreiches zu arbeiten,
liegt dem Luthertume fern. Seine Stellung zur Mis=
sion ist nur eines unter vielen Zeichen dafür, wie
A. Schlatter in seiner Abhandlung über den „Dienst
des Christen in der älteren Dogmatik" 1897 gezeigt
hat. Als der Pietismus in allen diesen Dingen neue
Gedanken brachte, als sich ihm der Horizont weitete
und zu dem lutherischen Zentralgedanken der persön=
lichen Heilsgewißheit für Ewigkeit und Zeit der Ge=
danke des Reiches Gottes in seiner sozialen Wucht, die
Vorstellung von einer fortschreitenden Geschichte hinzu=
trat, als er der lutherischen Kirche eine Hoffnung auch

2*

für diese Erde und damit endlich ein Ziel gab, das zu
neuer Kraftanspannung begeisterte, da erhob die Ortho-
doxie zunächst starken Widerspruch. In der alten
lutherischen Frömmigkeit steht die Frage nach der
Heilsgewißheit und persönlichen Seligkeit oben an. Sie
gibt dem ganzen Christenstande seinen Charakter. Weil
nun mit dem Sterben des Menschen über sein ewiges
Heil entschieden ist, geht alles um ein seliges Sterben.
Das Verhalten des Menschen zu Gott in der letzten
Stunde, die Sterbestunde überhaupt bestimmt nach der
Überzeugung der alten lutherischen Kirche das ewige
Geschick unwandelbar. Daher die beherrschende Sorge,
daher die Fülle von Gebeten um ein „seliges Ende",
ein Sterben im Glauben. Die Seelsorge in den lutherischen Kirchen des 17. Jahrhunderts ist ganz über-
wiegend Sterbeseelsorge. Es war damals sehr beliebt,
gesammelte Leichenpredigten herauszugeben. Jedermann
weiß von Valerius Herbergers „Trauerbinden". Aber
auch Johann Heermann (um wieder diesen schlesischen
Pfarrer als Beispiel zu nehmen) gab mehrere Samm-
lungen von Leichenpredigten in Druck; ihre Titel, z. B.
„Todesschule", „Güldene Sterbekunst" zeigen, worauf
es mit ihnen abgesehen war: sie sollten eine Anweisung
an die Lebenden sein, wie sie den Tod täglich betrachten,
sich auf ihn rüsten und wie sie die Todesstunde durchleben sollten. Die „Sterbekunst" griff tief in das

innere Leben der Kirche jener Zeit hinein. Diese Sammlung vor der Frage nach dem seligen Sterben erklärt auch den Reichtum an Sterbeliedern.

In der Art, wie das alte Luthertum die Heils= gewißheit zum alles beherrschenden Anliegen, zum Maße aller theologischen Gedanken macht, erkennen wir seine Grenze und seine Gebundenheit; nicht minder in der überschätzung der Sterbestunde in ihrer Bedeutung für das ewige Heil — wie ist dadurch die Entfaltung einer den Lebenden und ihrem Dienste Gottes geltenden speziellen Seelsorge gehemmt worden! Und doch er= scheint in alledem nicht nur die Grenze, sondern auch die Größe des lutherischen Christentums. Wir wollen uns hüten, sie zu übersehen, und fragen, ob der Christen= stand unseres Geschlechts auf ihrer Höhe, in ihrem Ernste steht.

Die Reformation ist an der Todesgrenze entstanden; da, wo ein Mensch, wie im Sterben, ganz bloß und nackt vor Gott stand. Die Grundfrage Luthers, wie er wahrhaftigen und frohen Gebetszugang zu dem heiligen Gott haben könne, ist ihm allezeit mit der Todesfrage, wie der Mensch in Gottes Ewigkeit vor seine Augen treten könne, eins gewesen. Das Beten ist so ernst wie das Sterben. Man versteht es nur vom Sterben aus recht. Daher war für Luther die Frage nach dem Sterben eine in jedem Augenblicke

gegenwärtige. Sie lag nicht vor ihm, er stand ihr
jederzeit gegenüber, mitten in ihr drin. Noch mehr:
nicht nur die Rechtfertigungs f r a g e und die Sterbens-
frage fielen für Luther zusammen, sondern die Rechtfertigung war ihm ein Durchleben des Todesgerichtes,
„daß nichts denn Sterben bei mir blieb." Das „Versinken in des bittern Todes Not", das „Verzagen für
der tiefen Höllen Glut" drohte nicht erst in der Sterbestunde, sondern täglich. . „Mitten wir im Leben sind.."
ist in Luthers Sinne ein Gebet schon für die Gegenwart des Christenlebens. Die Todesnot des Gerichtes
Gottes, der Satansanfechtung ist immer als furchtbare
Möglichkeit da. In seiner Predigt vom 31. Mai 1545
über den Schluß von 1. Kor. 15 bekennt Luther vom
„Stachel des Todes" ausdrücklich: „Die Christen müssen
täglich an ihnen selbst erfahren und fühlen, was Sünd
und Tod für Kraft hat... Ich hab solchen Stachel,
Spieß und Gift, das ist, den Reuel im Gewissen, sehr
oft fühlen und schmecken müssen, daß mir der Angst-
schweiß darüber ausgebrochen ist." Daher ist die Erfahrung der Rechtfertigung für Luthers Christentum
eine fortwährende Vorwegnahme der Todesstunde. Von
Gott gerichtet, an Sünde, Tod und Teufel hingegeben,
wird der Mensch mitten in diesem Todesgericht durch
Gottes freie Gnade in seine Liebesgemeinschaft erhoben,
aus der Angst gerissen und in Gottes Leben geführt.

Die Rechtfertigung hat Luther vom Sterben aus und
darum das Sterben von der Rechtfertigung aus ver=
standen, weil beides ihm in der Tiefe eins und in
jedem Augenblicke des Christenlebens gegenwärtig war.
Wie ernst er diese Einheit nahm, zeigt seine feine Ver=
bindung von Taufe und Tod, die er von Paulus gelernt
hat. Die Taufe ist Tod, Versenkung in Christi Sterben.
Den Toten wiederum legen wir ein weißes Gewand
an wie den Täuflingen, zum Gedächtnis der Taufe,
zum Ausdruck der tiefsten Gleichheit der Taufe und des
Christensterbens: beide nämlich ziehen den Menschen
in Christi Tod mit hinein und führen ihn ebendadurch
in das ewige Leben — Sterben und Auferstehung in
eins. So deutet Luther die Taufe vom Tode aus
(das gibt ihr den tiefen Ernst!), den Tod des Christen
von der Taufe aus (das verleiht ihm den fröhlichen
Sinn der Wiedergeburt zum Leben!).

Nun gewinnen wir ein ganz neues Verhältnis zu
dem Reichtum lutherischer Sterbelieder. Es ist die
Größe des reformatorischen Christentums, daß es die
Rechtfertigung vom Sterben aus versteht. Daher führen
seine Sterbegesänge in das Herz des evangelischen Be=
kenntnisses. Als Sterbefrömmigkeit ist ihr Gehalt nicht
ein Stück, sondern der Kern des lutherischen Christen=
standes. Denn eben als Rechtfertigungsglaube ist dieser
jederzeit wesentlich Sterbefrömmigkeit. Nicht daß man

nur den Tod zu sterben willens und fähig gewesen
wäre (Paul Gerhardts Naturfreude, lutherischer dankbarer Schöpfungsglaube zeugt dagegen), aber der Tod
war mitten ins Leben hineingesetzt, weil man von der
Rechtfertigung lebte. In diesem Sinne gilt: „Nun leb
ich, um zu sterben" (Hofmann).

Ich weiß wohl, daß dem Luthertum diese Beziehungen
gedanklich nicht bewußt geblieben sind. Die theologische
Entwicklung des Rechtfertigungsgedankens unter Me-
lanchthons Einfluß trägt die Schuld daran. Man ver-
lernte, daß die Rechtfertigung die während des ganzen
Lebens sich immer wieder erneuernde Krisis und Begründung der Existenz des Menschen vor Gott bedeutet,
setzte die Wiedergeburt, vielfach tastend und ratlos, in
einen einzelnen Vorgang und verlor daher auch die
dauernde Gegenwärtigkeit der Todesstunde im Christenleben. Aber es muß doch erlaubt sein, den tiefsten,
theologisch nicht rein und voll ausgedrückten Sinn des
lutherischen Christentums von Luther her zu deuten.
Jedenfalls ist tatsächlich im Sterbeliede der Väter
ihr ganzes Christentum nach seiner wesentlichen inneren
Bewegung ausgesprochen. Das gibt unserem Wege durch
den Friedhof der Väter seinen hohen Reiz: wir lernen
nicht ein Bruchstück altlutherischer Frömmigkeit kennen,
sondern hören den Herzschlag. Wer aber möchte hier
vom Abstande der Zeiten reden? Auch uns, wenn anders

wir überhaupt bewußte, persönliche Gemeinschaft mit
Gott wollen, muß die Frage nach dem Bestehen vor
ihm die tiefste und ihr Ernst der der Todesgrenze von
Zeit und Ewigkeit sein.

Der Rechtfertigungsgedanke Luthers bedeutet nichts
anderes als die volle Wahrhaftigkeit in dem Verhältnis
zwischen Gott und Mensch, die restlose Klarheit des
Menschen über sich selbst, darum zugleich die festeste
Gewißheit um Gottes barmherzigen Willen. In solcher
strengen und deshalb zuletzt frohen Wahrhaftigkeit lebt
denn auch die evangelische Sterbefrömmigkeit. Die
Größe des lutherischen Sterbeliedes tritt darin hervor,
daß es mit unbedingter Offenheit dem Tode ins Auge
schaut und nichts von seiner Furchtbarkeit verhüllt.
Christen dürfen die ganze Wirklichkeit sehen und hören.
Sie bedürfen jener verhüllenden Worte nicht, mit denen
andere vor dem Anblick des Furchtbaren fliehen und
das heimliche Zittern zu unterdrücken suchen. Die volle
Wahrhaftigkeit in unserem Sprechen vom Tode gehört
uns zum Gehorsam, zur demütigen Unterwerfung unter
den Gott, der uns sterben heißt und darin sein Urteil
über uns sündige Kreatur vollzieht. „Das macht dein
Zorn, daß wir so vergehen, und dein Grimm, daß wir
so plötzlich dahin müssen." Die Flucht vor dem Schauer

des Todes ist Flucht vor dem Ernste Gottes. Christen reden härter vom Tode als solche, die nicht von Gottes Gericht wissen.

Freilich, gerade weil wir angesichts des Todes vor Gott stehen, dem Gott, der im Richten Gemeinschaft begründet und Leben schafft, sehen wir im Glauben mehr als das Grauen, die grause Maske und das schaurige, schändliche Verwesen. Die harten Worte sind nicht das einzige und letzte, was an den Särgen uns durchs Herz geht. Wie der Christ durch die Art der Bibel, vom Tode zu reden, zur Wahrhaftigkeit erzogen ist, so gibt ihm auch die Bibel, seines Herrn Wort von dem Mägdlein, das nicht tot ist, sondern schläft, und das apostolische Zeugnis von dem „Erstling unter denen, die da schlafen", Mut und Recht zu frohen Worten und lieblichen Bildern vom Geheimnis des Christensterbens. Oft sind diese süßen Worte des Glaubens kaum zu unterscheiden von den Euphemismen der Trostlosigkeit und Todesflucht; die Angst derer, die keine Hoffnung haben und die grauenvolle Schwere des Sterbens nicht sehen mögen, leiht sich in Todesanzeigen, trostlosen Trostbriefen und Trauerreden die Sprache der Jünger Jesu. Und doch hat beides nichts miteinander zu tun. Der Glaube spricht sein „entschlafen" gerade angesichts rücksichtsloser Erkenntnis und Anerkennung der Wirklich=keit wie ein dankbares „dennoch". Daher ist für wahr=

haft christliche Verkündigung und christliches Lied bezeichnend, wie zwei Melodien zugleich erklingen, völlig
verschieden und doch einander fordernd und die frohe
erst durch die harte zur ganzen Majestät, zum jauchzenden Schritte der Freude erhoben. In Luthers Predigten
über 1. Kor. 15 — sie gehören zu den größten, die er
gehalten hat — kommt die schreckliche Gestalt des Todes
mit einer Schonungslosigkeit zur Sprache, bei der der
Triumphgesang der Todesüberwinder erst die wunder-
bare Tiefe des ganz auf Gott gestellten Glaubens
gewinnt. Mächtig läßt Luther den Totentanz erscheinen:
„Jetzt würget der Tod uns Menschen jämmerlich und
auf mancherlei Weise: einen durch Schwert, den andern
durch Pestilenz; diesen durch Wasser, den andern durchs
Feuer; und wer kann alle Weise, damit der Tod uns
Menschen erwürget, erzählen? Da lebet der Tod,
herrschet, regieret, sieget und singet: gewonnen, gewonnen! Ich, Tod, bin König und Siegmann über
alle Welt! Ich hab Macht und Recht über alles, was
auf Erden lebet! Ich schlage tot und würge alle
Menschen, jung, alt, reich, arm, hoch, niedrig, edel,
unedel. Trotz, der mir es wehre!" Dann aber fährt
Luther fort: „Aber der Tod wird sich bald heisch und
zu Tode singen, das Cantate soll ihm bald gelegt
werden. Denn am Ostertag hat sich ein ander Liedlein
erhoben, das lautet also: Christ ist erstanden von der

Marter alle, deß solln wir alle froh sein, Christ will
unser Trost sein. Tod, wo ist nu dein Sieg? Wo hastu
nu den, der im Grabe und den du am Kreuz getötet
hast?" Herb und derb redet Luther von dem scheuß=
lichen Verwesen des armen Madensackes: „Unser Leib
muß verwesen, Schlangen und Kröten müssen ihn fressen;
wie die Erfahrung täglich zeuget, daß des Menschen
Leib ein solch schändlich Aas wird, daß niemand den
Stank leiden kann. Darumb wird er auch so tief
hinunter begraben in die Erden, daß er beseit und
von uns komme, und wir ihn nicht leiden können."
Er hat vom Stachel des Todes, wie auch sein Lied
„Mitten wir im Leben sind" zeigt, vom Gericht Gottes
im Sterben mit erschütterndem Ernste reden können.
Aber der gleiche Luther weiß an anderer Stelle mit
wundersam fröhlichem Gleichnis den Tod als die Geburt
in den Himmel zu zeichnen: „Hie hebt an die enge
Pforte, der schmale Steig zum Leben, des muß sich
ein jeglicher fröhlich erwägen,[1]) denn er ist wohl gar
enge, er ist aber nit lang. Und geht hie zu, gleich
wie ein Kind aus der kleinen Wohnung, seiner Mutter
Leib, mit Gefahr und Ängsten geboren wird in diesen
weiten Himmel und Erde, das ist, auf diese Welt:
also geht der Mensch durch die enge Pforte des Tods

---

[1]) = muß freudig wagen, diesen Weg anzutreten ...

aus diesem Leben. Und wie wohl der Himmel und
die Welt, da wir jetzt in leben, groß und weit an=
gesehen wird, so ist es doch alles gegen den zukünftigen
Himmel viel enger und kleiner, denn der Mutter Leib
gegen diesen Himmel ist.   Darum heißt der lieben
Heiligen Sterben eine neue Geburt, und ihre Feste[1]
nennt man zu Latein Natale, Tag ihrer Geburt. Aber
der enge Gang des Todes macht, daß uns dieses Leben
weit und jenes enge dünkt. Darum muß man das
glauben und an der leiblichen Geburt eines Kindes
lernen, als Christus sagt: Ein Weib, wann es gebiert,
so leidet es Angst, wenn sie aber genesen ist, so gedenkt
sie der Angst nimmer, dieweil ein Mensch geboren ist
von ihr in die Welt. Also im Sterben auch muß man
sich der Angst erwägen[2] und wissen, daß darnach ein
großer Raum und Freude sein wird." Fechner in
seinem „Büchlein vom Leben nach dem Tode" hat den
Tod auch als „eine zweite Geburt zu einem freiern
Sein" gedeutet, „wobei der Geist seine enge Hülle
sprengt und liegen und verfaulen läßt, wie das Kind
die seine bei der ersten Geburt." Aber wie weit ist
der Abstand zwischen Luther und Fechner, zwischen dem
Glaubensworte des Christen, der gerade auch im Tode

---

[1] Die Gedächtnistage ihres Todes.
[2] Die Angst tapfer auf sich nehmen.

sich von Gott gerichtet weiß, und der metaphysischen Theorie des Naturphilosophen, der Gottes Gericht sich verhüllt und daher über die Härte des Sterbens hinweg= redet! Dem idealistischen Gedanken von der zweiten Geburt, von der Befreiung der Seele müssen wir uns hart widersetzen — um des Ernstes Gottes willen, der uns sterben heißt, ganz, nach Leib und Seele. Die unsagbar tröstenden Rhythmen in Händels Arie aus dem Messias „Ich weiß, daß mein Erlöser lebt", die das Schlummern der „Entschlafenen" dem Auferstehungs= tage entgegen andeuten, gehören in unlöslicher Ver= bindung zusammen mit der bitteren, durchschauernden Klage: „Durch Einen kam der Tod!" Nur in diesem Zusammenhange hat der Jubel und das versonnene, zarte Verkünden des seligen Geheimnisses: „Erstling derer, die schlafen" Wahrhaftigkeit und Grund.

Den Doppelklang finden wir auch in den Liedern. Der „bittere Tod" erscheint in seinem ganzen Ernste. Aber das Wort „Tod" ist doch nicht, wie für so viele, die rätselhafte Dissonanz, bei der die Saite reißt und das Lied abbricht, sondern der tiefe, in jedem Akkord mitklingende Ton, der dem Jubel christlicher Heils= gewißheit erst seine triumphierende Gewalt gibt. Die Dissonanz wird angeschlagen, um sich aufzulösen. Die Sänger können angesichts des Todes vom Tode singen, weil sie von mehr als von dem Tode zu sagen wissen.

Wie herrlich spricht sich der Glaube in fröhlichen Bildern
und sinniger Symbolik über Sterben, Begraben, Grab
und Grabesruhe aus! Das biblische „Entschlafen" gibt
den Ton an: „Der Tod ist mein Schlaf worden" (Luther).
So wird das Grab das „Ruhbettlein": „Gar sanft in
Christo schlafen wir ein, unser Seelen bewahrt er fein,
bis wir vom Tod aufwachen" (Kaspar Franck 1656),
oder die Schlafkammer, das „Schlafkämmerlein": mit
wunderbarer Kühnheit deutete man Jesaja 26 20, wohl
durch den voraufgehenden Vers veranlaßt, auf die
Grabesruhe: „Geh hin, mein Volk, in deine Kammer
und schließ die Tür nach dir zu; verbirg dich einen
kleinen Augenblick, bis der Zorn vorübergehe" — so
Luther selber, dann Ambrosius Blaurer in seinem
Auferstehungsliede und Kaspar Francks Gesang „Vom
Schlaf und Auferstehung der Christen". Oder das
paulinische Bild des Samenkorns wird verwendet, bis
hin zu Klopstock, der den Herrn der Ernte die Garben
einsammeln schaut und den Gräbern zu Ottensen die
köstliche Inschrift findet: „Saat von Gott gesäet, dem
Tage der Garben zu reifen," bis hin zu Schillers Glocke.
Dabei klingt dann wohl Psalm 126 mit herein („wir
säen Tränensaat, des lieben Pilgers Hülle", singt Spitta),
oder das Gleichnis vom Unkraut unter dem Weizen,
das an Gottes Ernte und seine Scheuer erinnert, auch
Jesu Wort vom Weizenkorn, z. B. in Zinzendorfs „Die

Christen gehn von Ort zu Ort". Das Grab kann „unser Beet" heißen, das des Frühlings und Sommers wartet: „den Winter wir da rasten;" kommt der Lenz und der rechte Sonnenschein, „unser Körnlein aufkeimet." Der Joachimstaler Pfarrer Kaspar Franck, der dieses zarte Bild ausführt, hat seinen Bergleuten den Tod dann noch mit dem Gleichnis, das ihr eigenes hartes Tagewerk bot, gedeutet: „Fahren müß wir in tiefen Schacht, ein Zeit im Finstern bleiben," „Wenn Christus uns wird puchen aus und das letzt' Glöcklein läuten, im Namen Gottes fahr' wir aus."

In die vielen, feinen Züge dieser Symbolik des Todes und Grabes, wie unserer Väter Glaube sie in Lied und Sprachgebrauch weitergab und bereicherte, sich zu versenken, das bedeutet wahrhaftig Feier und Stärkung besonderer Art.

2. Das Begräbnis und das Gedächtnis der Vollendeten.

Immer in der Geschichte der religiösen Poesie geht das kultische Lied, das sich an gottesdienstliche oder irgendwie gemeindliche Handlungen anschließt, der reinen Lyrik voran. So ist es im alttestamentlichen Liede, so auch bei der christlichen Poesie, die von den letzten Dingen handelt. Das Frühere ist außerdem in der Regel das gemeinsame Lied, während die individuelle Poesie des Sterbens und der Ewigkeit erst dann hervortritt, wenn durch die ganze geistige Lage eines Zeitalters die Entbindung individuellen Seelenlebens aus den Banden des Gemeinsamen und Konventionellen einsetzt.

So sind die ältesten Lieder von den letzten Dingen, die auf uns gekommen sind, Leichengesänge, Gesänge beim Totenamt. Unter dem Namen des Johannes von Damaskus (ca. 700—754), des großen Dogmatikers der griechischen Kirche, gehen mehrere Leichengesänge. „Kommt heran, den letzten Gruß weihen wir, Brüder, dem Gestorbenen, Gott Dank sagend: Er schied hin von den Seinen, und zum Grabe wird er getragen, nicht mehr gedenkend des Eitlen und der Mühselig= keiten des Fleisches." Beredte Betrachtungen über die Eitelkeit alles Irdischen und Menschlichen, aller Güter und Ehren dieser Welt, „alles ist flüchtiger als Schatten, alles gaukelnder als Träume, ein Wink, und auf alles dieses folgt der Tod"; Gedanken über die völlige Hilflosigkeit des Menschen im Tode und, darauf ge= gründet, immer erneute Aufforderung zum Gebete und Gebet für den Verstorbenen: „daß Ruhe ihm verleihe der Herr, beten wir brünstig" — das ist der Inhalt dieser Lieder. Das Todeslied ist Gebet für den Toten. Auch in der abendländischen Kirche wurde dieses der Sinn der Totenfeier. So ist es im Katholizismus bis heute geblieben. Die Sorge für die ewige Ruhe der abgeschiedenen Seele beherrscht die Begräbnisfeier. Man will der Seele, die sich am Reinigungsorte, im Fegfeuer, befindet, durch Gebet, Segnung und durch die Darbringung des Meßopfers hilfreichen Beistand leisten. Eine eigene Art der Messen, die für jeden Verstorbenen abzuhaltende „Seelenmesse" (missa pro defunctis), deren einfachste Gestalt weit zurückzuverfolgen ist, dient der Opferung Christi für die Toten, dem wirk= samen, ihr jenseitiges Los beeinflussenden Eintreten für sie. In das Agnus Dei („Christe, du Lamm Gottes") flicht sich bei ihr statt des Miserere nobis („erbarme dich unser") die Bitte Dona eis requiem sempiternam ("Schenke ihnen die ewige Ruh") ein, und gleich ihr Introitus — sein Motiv kehrt öfter wieder — lautet: Requiem aeternam dona eis Domine, et lux perpetua luceat eis ("Schenke ihnen die ewige Ruhe, und das ewige Licht leuchte ihnen"). Das Anfangswort Requiem gab den Namen her für jene ganze Gattung der Messen, in der die katholische Kirchenmusik sich so herrlich entfaltete. Auch die übliche Tagesmesse kann in ihrem Ertrage dem Toten zugewandt werden. In jeder Messe folgt kurz nach ihrem Höhepunkte, der Konsekration, die Bitte für die Toten, bei der die Namen bestimmter Verstorbener genannt werden: "Gönne ihnen, Herr, wir bitten dich, und allen, die in Christo ruhen, den Ort der Erquickung, des Lichtes und Friedens!" Mehrere mächtige Meßlieder aus dem dreizehnten Jahrhundert, an den Herrn, Maria oder die Heiligen gerichtet, bitten für die Toten, die im Fegfeuer sind.

Durch die Reformation wurde das Begräbnis etwas völlig Neues. Die Lehre vom Fegfeuer und Meßopfer fielen dahin. Die Totenfeier hörte auf, ein Handeln für den Toten, das auf sein jenseitiges Geschick Einfluß hatte, zu sein. Zwar haben die Reformatoren den Angehörigen die Fürbitte für den Abgerufenen nicht wehren wollen. In der Predigt der Kirchenpostille zum Aller-

3*

heiligentage sagt Luther: „Willt du für deines Vaters
Seele, für deiner Mutter Seele beten, so magst du es
tun daheim in deiner Kammer, und das einmal oder
zwei, und laß darnach gut sein. Sprich: Lieber Gott,
so die Seele in einem solchen Stand wäre, daß ihr zu
helfen stünde, mein Herr, so erbarm dich ihrer, und
hilf ihr." Ja, man ließ späterhin, obgleich mit großer
Zurückhaltung, Fürbittformeln sogar im öffentlichen
Gottesdienste zu, wollte sie freilich mehr als Ausdruck
der Liebe, des Dankes und der Gewißheit denn als
eigentliche Bitte verstanden wissen.[1]) Wogegen die

---

[1]) Die Frage nach dem Rechte der Fürbitte für die Toten
fordert auf evangelischem Boden ernste Erwägung. Im Kriege
ist sie, durch das Dahinsterben so vielen noch ungereisten Lebens,
wieder brennend geworden. Für den, der mit dem alten Luthertum das Geschick des Menschen als mit seinem Tode unwider-
ruflich entschieden und Gottes Geschichte mit ihm als abgeschlossen
betrachtet, hat die Frage keinen Sinn. Dürfen wir aber glauben,
daß Gott an den ihm noch Unerschlossenen weiterarbeitet, so
drängt es uns zur fürbittenden Teilnahme an seinem Werke.
Aber sollte man nicht das Geschick der Toten ganz Gott be-
fehlen? Indessen auch im Blick auf Lebende üben wir die
Fürbitte, obgleich, ja weil wir sie in Gottes Vaterhand
wissen. Das Gottvertrauen für andere und die Fürbitte gehören paradox zusammen. Auch daß die Toten unserer seel-
sorgerlichen Einwirkung jetzt entzogen sind, spricht an sich
nicht gegen die Fürbitte, denn wir beten auch sonst für die
Fernen und Fremden, zu denen unsere brüderliche Tat nicht

Reformation sich mit voller Wucht kehrte, war nicht
die persönliche, gläubige Fürbitte, wie sie einem tiefen
Bedürfnis der Liebe entspringt, sondern der Greuel
der „Seelenmessen" als eines dinglich=sakramentalen
Werkes für die Toten, durch das man die Toten
schneller aus dem Fegefeuer erlösen wollte: „gleich als
wollten sie mit dem Lören Gott zwingen und dringen,
daß er ihn' müßt die Seele geben" (Luther).

Das Begräbnis wurde durch die Reformatoren auf
einen ganz neuen Ton gestimmt. Das frohe und dank=
bare Bekenntnis zu der Auferstehung trat in den
Vordergrund. Luther hat — in der Vorrede zu seinem
Begräbnis=Liederbuche von 1542 — stark und wunder=
voll den Ton angegeben. „Wir Christen, so von dem

---

reicht. Zur Zurückhaltung und Bescheidung in der Fürbitte
für Abgerufene mahnt jedoch die demütige Scheu des Geheim=
nisses, das über der Welt der Ewigkeit liegt. Der gewiesene
Ort alles unseres Handelns, zu dem die Fürbitte gehört, ist
die Geschichte. Gottes Handeln mit den Dahingegangenen
bleibt jenseits unseres Vorstellens und Denkens. Es fehlt uns
der Einblick in die Bedingungen ihres Lebens, den die Liebe
bedarf, um ernsthaft und dauernd bitten zu können. Die Bitte
braucht die Erkenntnis. Und so wird die Fürbitte für einen
Abgerufenen, so mächtig sie sich zunächst empordrängen mag,
bald demütig aufgehen in einem treuen Gedenken, das ihn
in Gottes Hände befiehlt und in der Anbetung Gottes zur
Ruhe kommt.

ewigen Tod und Zorn Gottes in der Hölle durch das
teure Blut des Sohnes Gottes erlöset sind, sollen uns
üben und gewöhnen im Glauben, den Tod zu verachten
und als einen tiefen, starken, süßen Schlaf anzusehen;
den Sarg nicht anders, denn als unsers Herrn Christi
Schoß oder Paradies; das Grab nicht anders, denn
als ein sanft Faul- oder Ruhebette." Unsere Kirchen
— die Begräbnisstätten — wollen wir „nicht mehr
lassen Klaghäuser oder Leidstätten sein, sondern wie es
die alten Väter auch genennet, Koemeteria, das ist, für
Schlafhäuser und Ruhestätten halten. Singen auch kein
Trauerlied noch Leidgesang bei unsern Toten und Gräbern,
sondern tröstliche Lieder, von Vergebung der Sünden,
von Ruhe, Schlaf, Leben und Auferstehung der verstorbenen Christen, damit unser Glaube gestärkt
und die Leute zu rechter Andacht gereizt
werden. Denn es auch billig und recht ist, daß
man die Begräbnisse ehrlich halte und vollbringe,
zu Lob und Ehre dem fröhlichen Artikel unseres
Glaubens nämlich von der Auferstehung der Toten, und
zu Trotz dem schrecklichen Feinde, dem Tode, der uns
so schändlich dahinfrisset, ohn Unterlaß mit allerlei scheuß-
licher Gestalt und Weise." „Es ist alles zu tun um
diesen Artikel von der Auferstehung, daß er feste in
uns gegründet werde, denn er ist unser endlicher, seliger,
ewiger Trost wider den Tod, Hölle, Teufel und alle

Traurigkeit." Das sollte die Begräbnisfeier sein: ein glaubenstärkendes, freudiges, trotzendes Bekenntnis zu der großen Christenhoffnung.

Aber wo hatte Luther Begräbnislieder, die in diesem Tone gingen? Die Texte, die man bisher bei den Seelenmessen und Begräbnissen gebraucht hatte, waren wegen ihrer Beziehung auf das Fegefeuer und Meß= opfer als „abgöttisch, tot und toll" nicht mehr ver= wendbar. So konnte die lutherische Kirche von der mittelalterlichen hier nur ganz weniges übernehmen. Das älteste Lied stammt von dem großen spanischen Hymnendichter, dem Zeitgenossen Augustins, Aurelius Prudentius (ca. 348—413): Jam moesta quiesce querela („Nun schweige, du Klage der Trauer, nun stillet die Tränen, ihr Mütter"). Seine Größe erhält der von Herder gepriesene Gesang durch den schlichten und klaren Ausdruck der Auferstehungshoffnung, zum Beispiel in der Anrede an die Erde: „Bewahre das teure Vermächtnis! Einst seines Erschaffnen gedenkend, wird Gott von dir wiederverlangen dies Bildnis der eigenen Züge." Luther nahm das Lied 1542 in sein Begräbnisliederbuch auf. Seither hat die altlutherische Kirche es lange Zeit, sowohl im lateinischen Original wie in mehreren Verdeutschungen, bei den Begräbnissen gesungen: „Höret auf mit Trauern und Klagen, ob dem Tod soll niemand zagen; er ist gestorben als ein Christ, sein Tod ein Gang zum Leben ist."

Daneben ist das mittelalterliche Media vita in morte sumus, nicht nur in Luthers deutscher Ausgestaltung, sondern auch im lateinischen Original, als Begräbnislied benutzt worden. Luther empfahl außerdem den Bittgesang „Nun bitten wir den heiligen Geist", dessen erste Strophe spätestens dem 13. Jahrhundert entstammt, für die Begräbnisse. Im übrigen war man auf die neuen evangelischen Lieder angewiesen, die in reicher Fülle strömten. Das alte Luthertum hat an den Gräbern seine mächtigsten Glaubenslieder, keineswegs nur Sterbegesänge im besonderen gesungen: zum Beispiel neben Luthers mächtigem „Mitten wir im Leben sind" und „Mit Fried und Freud ich fahr dahin" auch, nach seinem eigenen Vorschlage, „Aus tiefer Not" und „Wir glauben all an einen Gott". Ausgesprochene Begräbnislieder hat die lutherische Kirche nur wenige hervorgebracht. Ihr größtes hat sie von den Böhmischen Brüdern übernommen, Michael Weißes „Nun laßt uns den Leib begraben". Luther gab dem Liede 1542 eine Stelle in seinem Begräbnisgesangbuche und lobte es sehr („es gefällt mir sehr wohl und hat ein guter Poet gemacht"). Eine Zeitlang ging es gar unter seinem Namen. Durch Jahrhunderte hindurch hat es bei keiner Beerdigung gefehlt, ein rechtes Gemeindelied von unvergänglicher Schönheit. Nicht ohne Grund hat Johannes Brahms es zu einer wundervollen Komposition

verwandt. Jede Strophe ist ein Kleinod. Man achte
nur auf die dumpfe Wiederholung in der zweiten
Strophe: „Erd ist er und von der Erden, wird
auch zu Erd wieder werden und von der Erd wieder
aufstehn, wenn Gott's Posaune wird angehn." Oder
man denke an die Worte von der Seligkeit des ent=
schlafenen Bruders: „Sein Jammer, Trübsal und Elend
ist kommen zu ein'm selgen End. Er hat getragen
Christi Joch, ist gestorben und lebet doch." „Hie ist
er in Angst gewesen, dort aber wird er genesen, in
ewiger Freud und Wonne leuchten wie die helle Sonne."
Gerade diese Strophen gebieten freilich, worauf auch
im 17. Jahrhundert einige Kirchenordnungen hinweisen,
Vorsicht in der Verwendung des Liedes: dieser Ton
freudiger Gewißheit („sein Seele lebt ewig in Gott")
paßt nicht an jeden Sarg, und mit dem Zeugnis „er
hat getragen Christi Joch" soll die Gemeinde sparen.
Dagegen gibt die Schlußstrophe jedem Begräbnis das
schönste Ende: „Nun lassen wir ihn hie schlafen und
gehn all heim unsre Straßen, schicken uns auch mit
allem Fleiß, denn der Tod kommt uns gleicher Weis."
Beim Singen des Liedes treten seine metrischen Härten
für unser Empfinden schwer=erträglich hervor. Nur
durch leise Änderungen, wie sie z. B. das Rheinisch=
westfälische Gesangbuch geschickt und schonend bietet,
kann man das herrliche Lied sangbar und dadurch

lebendig erhalten. Georg Neumarks Antwortgesang
(„So traget mich nun immer hin"), in dem der Ge=
storbene, eng an die Gedanken des Gemeindeliedes
anschließend, redet, ist unbedeutend und fällt stark ab.
Als Wechselgesang wird das Ganze viel zu breit, so
schön der Gedanke der Wechselrede des Heimgegangenen
und der Gemeinde an sich ist.

Ein anderes, für die Feier am Sarge und Grabe
besonders wertvolles Lied danken wir den Erben der
Böhmischen Brüder, der Brüdergemeinde: des Grafen
Zinzendorf feine Verse „Die Christen gehn von Ort
zu Ort". Tiefe und Wärme des Empfindens, die
Anschaulichkeit und Sinnigkeit edler Bilder haben ein
Kleinod geschaffen, an dem man kein Wort missen
möchte, den vollkommenen Ausdruck dessen, was einen
Christenkreis bei der Abschiedsfeier bewegt. Ein un=
aussprechlicher Friede weht durch die drei Strophen,
der Auferstehungsglaube verklärt auch den Leichnam
mit wundervoll zarter Symbolik (Weizenkorn und
Pilgerkleid); über dem Ganzen liegt heilige Freude
wie ein Vorglanz des großen Tages Jesu: „Wir freun
uns in Gelassenheit der großen Offenbarung, indessen
bleibt das Pilgerkleid in heiliger Verwahrung." Was
kann dieses Lied bedeuten, wenn eine wirklich durch
Glauben und Liebe verbundene Gemeinde es am Grabe
anstimmt: „Die Liebe führ uns gleiche Bahn, so tief

hinab, so hoch hinan." Dagegen hat Zinzendorfs
anderes Sterbelied „Aller Gläubgen Sammelplatz", auch
in Chr. Gregors Bearbeitung, um seiner sprachlich=
dichterischen Unmöglichkeiten willen kein Recht in
unseren Gesangbüchern. Wenn seine feinen, einem
engverbundenen Christenkreise so wesentlichen und lieben
Gedanken doch statt der jetzigen, peinlich=platten Reime
die rechte, edle Form gefunden hätten!

An Sachses, des Altenburgischen Hofpredigers
(1785—1860) „Wohlauf, wohlan zum letzten Gang!"
haben wir ein recht brauchbares Lied für den Abschied
vom Sterbehause und den Weg zum Friedhof, der in
den Strophen dargestellt wird. In Württemberg ist es
bei den Beerdigungen beliebt. Sein großer Ernst und
seine sentenzenreiche, volkshafte Sprache, durch die es
sich schnell einprägt, empfiehlt es zu weitester Ver=
breitung: „Vom Freudenmahl zum Wanderstab, aus
Wieg und Bett in Sarg und Grab! Wann, wie und
wo, ist Gott bewußt. Schlag an die Brust! Du mußt
von dannen, Mensch, du mußt!" Die Melodie ent=
stammt Joh. Leons „Ich hab mein Sach Gott heim=
gestellt", das auch Gedanken und Form des Liedes
stark beeinflußt hat. Von ganz anderer Art, ein
wundersam zartes Begräbnislied ist des Hannoveraners
Spitta „Am Grabe stehn wir stille", vollendet in seiner
schlichten Form, echt lutherisch in dem Himmelsheimweh,

das durch jede Zeile geht: „Wir armen Pilger gehen hier noch im Tal umher, bis wir ihn wiedersehen und selig sind wie er;" aber die Kraft des alten Liedes erreicht Spitta nicht. —

Unsere evangelischen Begräbnisse sind vielerorts unter die Höhe, die Luther ihnen wies, weit hinab= gesunken. Wenn es recht um sie stände, welche Sieges= macht, welche Zeugnis= und Werbekraft müßten sie in unserer haltlosen Zeit haben! Daß Menschen an den Gräbern Gott loben können, daß sie in allem tiefen Weh des Abschieds doch ihr Haupt froh erheben, weil sie gerade am dunkelsten Tage das Licht der Ewigkeit Gottes schauen — was für eine Predigt von dem Leben Jesu Christi, von der Wirklichkeit des lebendigen Gottes! Wenn unseren Begräbnissen diese Kraft meist fehlt, trägt nicht wesentlich ihre „Verarmung an Kirchen= gesang" die Schuld? Lebt denn der Schatz der großen Sterbe= und Ewigkeitslieder wirklich? Auch wo er in der häuslichen Andacht, im Gebetsleben und in der Seelsorge gehoben wird, nützen wir ihn für die Gottes= dienste, die häusliche Feier am Sarge, den Weg zum Friedhofe und die Liturgie am offenen Grabe viel zu wenig. Wie arm und glaubensmatt muten die meisten Beerdigungen, zumal die städtischen, an! Da sollten, nach Luthers Rat von 1542, unsere großen Glaubens= lieder, vor allem aber die Buß= und Siegeslieder von

Tod, Ewigkeit und jüngstem Tage erschallen. Sie
richten eine Macht auf um die Trauernden, an der
die Wellen der Trostlosigkeit sich brechen. Sie lassen
am Grabe, wo man es so bitter nötig braucht, die
Verwaisten die Gemeinschaft des Glaubens spüren. Die
Stimme der Väter, in Text und Weise, und die Stimme
der Brüder klingen im Singen zusammen. Da könnte
unser Volk den Artikel von der Kirche wieder glauben
lernen, wenn statt des dumpfen Schweigens oder un-
gesammelten Plauderns unserer Leichengefolge der starke
Gesang einer glaubenden Gemeinde die Trauernden
brüderlich auf ihrem schweren Wege geleitete und trüge.
Wenn die Schule und die Schulkinder heute versagen,
so lerne die Gemeinde der Erwachsenen wieder das
Singen ihrer alten großen Sterbelieder, in besonderen
Singestunden, die für sich selbst Auferbauung in unserem
allerheiligsten Glauben sein werden. Es hängt nicht
Geringes daran, daß wir endlich den Schatz der Väter,
den ungehobenen, wieder heben. Was für Stunden
auf dem Friedhofe, wenn „Mitten wir im Leben sind",
„Mit Fried und Freud", wenn das Wächterlied „Wachet
auf, ruft uns die Stimme" oder „Jerusalem", wenn
der Siegeston der Osterlieder über die Gräber der
Schlafenden klingt!

Jede rechte Beerdigung führt zu Osterklängen
empor. Umgekehrt soll — das wollen wir von der

Brüdergemeine lernen — der Ostertag die Gemeinde auch an den Gräbern sammeln. Vielleicht allerdings nicht die erste Feier des Festes überhaupt — sonst besteht die Gefahr, daß der Blick zu schnell von dem Grabe des Herrn auf unsere Gräber geht und die mächtige Tatsache: Jesus lebt, die zunächst einmal rein für sich, von unserer Auferstehung ganz abgesehen, das Herz unseres Glaubens, der Grund unserer Gemeinschaft mit Gott ist, nicht in ihrer ganzen Tiefe, in ihrem vollen Reichtum zur Geltung kommt. Der zweite, nicht der erste Ostergottesdienst gehört auf den Friedhof.

Auch sonst im Kirchenjahre, an einem der letzten Trinitatissonntage, sollte die Gemeinde in besonderem Gottesdienste, in der Kirche oder an den Gräbern, ihrer Vollendeten gedenken und Gott um ihretwillen preisen. Schön, wenn dabei, wie in der Liturgie der Brüdergemeine für den Ostermorgen, der im letzten Jahre entschlafenen Brüder und Schwestern namentlich gedacht wird. Aber der Blick soll weiter gehen, im Sinne des Ostergebets der Brüdergemeine: „Du wollest uns erhören, lieber Herre Gott, und uns mit der ganzen vollendeten Gemeine in ewiger Gemeinschaft erhalten." Dem Gedenken an die Vollendeten der ganzen Kirche Gottes ist in unserer evangelischen Liturgie zu wenig Raum gegeben. Fürchtet man den Abweg des katholischen Allerheiligen- und Allerseelenfestes? Desto größer

und schöner ist die Aufgabe, evangelisches Gedenken
der Vollendeten in würdigen Formen zu halten. Wir
stehen damit auf biblischem Boden. Der Hebräerbrief
richtet das Auge der versuchten und kämpfenden Ge-
meinde auf die „Wolke von Zeugen" und zählt zu der
Größe des Gottesreiches die Verbundenheit der irdischen
Gemeinde mit den „vollendeten Gerechten" (12 23). Die
Offenbarung gibt das Bild der großen Schar in weißen
Kleidern vor dem Stuhle Gottes. Wenn das alte
Te deum laudamus Gottes Macht und Herrlichkeit
aussagen will, dann singt es (in Luthers Verdeutschung):
„Der heiligen zwölf Boten Zahl und die lieben Propheten all, die teuren Märtrer allzumal loben dich,
Herr, mit großem Schall." Auch das lutherische Lied,
soll es vom Himmel reden, fügt zu dem größten, was
hier zu sagen ist: Gott schauen, bei Gott wohnen, oft
die Erinnerung an seine vollendete Gemeinde, besonders
schön „Jerusalem" und „Alle Menschen müssen sterben":
„Propheten groß und Patriarchen hoch, auch Christen
insgemein . . ." Der Himmel ist der Ort Gottes, „wo
vor seinem Angesicht meiner Väter Glaube pranget."
Wir haben ganze Lieder, die nur von den Vollendeten
und ihrer Seligkeit singen wie das große „O wie selig
seid ihr doch, ihr Frommen" Simon Dachs oder Schenks
„Wer sind die vor Gottes Throne", das nach Offb. 7 9—17
vom Kampf und Sieg der Schar mit den Palmen zeugt

und in sehnliches Bitten um eigene Vollendung übergeht.
Mit solchen Gesängen, den vielen ähnlichen Einzelstrophen
anderer Lieder und den neutestamentlichen Zeugnissen
von den Vollendeten läßt sich eine liturgische Feier
reichlich bestreiten. Die herrlichen Liturgien der Brüder=
gemeine „zum Gedächtnis der vollendeten Gemeine"
geben das schönste Vorbild, wenn sie auch um des
besonderen brüderischen Tones willen für andere Kirchen=
gemeinschaften nicht einfach zu übernehmen sind. Da
leuchten die Kleinodien unserer lutherischen Ewigkeits=
lieder zwischen Versen des Brüdergesangbuches. Es ist
ein hoher Ruhm der Brüdergemeine, daß sie die „Ge=
meinschaft mit der oberen Schar", um die Zinzendorfs
Ordinationsgebet zuletzt bittet, von Anfang an gepflegt
und feine Lieder dieser Art hervorgebracht hat. Zinzen=
dorf fand die rechte Weise. Man kann gewiß von seinem
„Anblick der vollendeten Gerechten": „Alle Seelen, die
von dieser Erden . . ." heute nicht mehr alle Strophen
singen. Aber es hat Größe, Tiefe und echte Weite,
wie er der Knaben, Jünglinge, Väter, Ältesten, Kämpfen=
den, Lehrer, Reichsevangelisten usw. im einzelnen gedenkt
und sie als Mitkämpfer, Fürbitter der kämpfenden
irdischen Gemeinde vor Augen stellt:

> „Alle diese teur erkauften Geister
> Fühlen stets bei Jesu, ihrem Meister,
> Die Not der Glieder,
> Der gedrückten und gebückten Brüder."

> „Darum werfen sie sich mit uns Armen
> Voller Andacht in sein Liebserbarmen,
> Mit uns zu ringen,
> Bis wir Kraft und Sieg aus Jesu bringen."

Und was für ein Beten, wenn es dann heißt:

> „Jesus Christus, ein'ger Mensch in Gnaden,
> Der du selber dich mit uns beladen:
> Verbinde deine
> Streitende und siegende Gemeine!"

Dieser herrliche Ton fehlt in der lutherischen Dichtung und Liturgie allzusehr. Wer ihn einmal gehört und als Kraft und Reichtum unserer Frömmigkeit und der Gottesdienste erprobt hat, der mag ihn nicht mehr missen und findet eine Kirche arm, die ihn nicht kennt. Im besonderen sollte die Kirche auch ihrer Blutzeugen feierlich gedenken, im Stile und Sinne von Hebr. 11 Schluß und 12 Anfang. Wir wollen Gott preisen, daß er sich durch Geduld, Glauben und Treue seiner Heiligen verherrlicht hat — dazu sang Luther sein Lied „von den zween Märtyrern Christi"; wir wollen an ihrem Gedächtnis den Ernst der Nachfolge Jesu, die auch uns das Herzblut abfordert, unserem lauen Herzen wieder groß machen, uns ihres Sieges und ihrer Vollendung freuen und zum eigenen Kampfe freudig werden. Solche Feier könnte enden mit der letzten Strophe von Laur. Laurentis Osterliede „Wach auf, mein Herz,

die Nacht ist hin": „Sei hochgelobt in dieser Zeit …
Herr Jesu, gib uns Kraft und Mut, daß wir auch
überwinden!" Was bedeutet es der Gemeinde dieser
Tage, in ihrer Lauheit, aber auch in ihren heißen
Kämpfen der „teuren Märtrer" zu gedenken, die vor
ihr Gott gehorcht haben bis in den Tod! Auch für
dieses Gedächtnis hat die Brüdergemeine eine würdige
Liturgie geschaffen.

Es ist leicht, das alles als katholisierend zu ver=
dächtigen. Wer sich in die Größe des evangelischen
Gedankens der Kirche Gottes vertieft, wird nicht so
urteilen. Wie sie die Nähe und Ferne verbindet, so
auch die Vergangenheit und die Gegenwart, die vollendete
und die kämpfende Gemeinde. Es gehört zu den Höhen
unserer Gottesdienste, wenn im großen Dank= und Fürbitt=
gebet die Gemeinschaft mit dem Volke Gottes in allen
Völkern und Ländern Ausdruck findet. Nicht minder
wird das feierliche Gedächtnis der Vollendeten dem
Kirchenjahre neuen Reichtum und einen neuen Gipfel
geben. Die ganze herrliche Weite des Bekenntnisses
„Ich glaube eine Gemeinschaft der Heiligen" kommt
so zum Bewußtsein. Das ist etwas Größeres als die
Enge des üblichen „Totensonntags", an dem die Ge=
meinden nur ihrer Toten gedenken und der weite Blick
auf die Herrlichkeit Gottes in seiner vollendeten Kirche
fehlt. Es gibt auch ein evangelisches Allerheiligen.

Das unterchristliche, entartete hat Luther zerschlagen. Aber das echte Allerheiligen, im evangelischen Sinne des Wortes „heilig", wollen wir nicht missen, um der Herrlichkeit Gottes willen nicht. Auch wir danken dem Vater der Geister für den „Schatz der Kirche", den er ihr in dem Bekenntnis, Glauben und ritterlichem Kampfe ihrer Väter als hohen Erbsegen schenkte, als reiche Kraft für ihre Gegenwart.

4*

3. Das Lied von der Vergänglichkeit und Todesnähe.

Aus der herbfrischen Frühzeit deutscher Geschichte erschüttern uns heute noch die mächtigen Töne des Media vita in morte sumus ("Mitten wir im Leben sind von dem Tod umfangen"), in St. Gallen zuerst gesungen. Luther hat den Gesang mit schöpferischer Kraft verdeutscht und zwei echt evangelische Strophen hinzugedichtet. Damit ist das Lied, das ursprünglich nur vom Todeslose handelt und um Errettung aus der Todesgefahr fleht, zu einem Schrei aus der Todesnot der Sünde, aus der Angst der Hölle geworden. In dieser Vertiefung gehört die Dichtung der nächsten Gruppe, den Gebeten um ein seliges Ende an. Aber in seiner lateinischen Urform ist das ehrwürdige Lied an unserer Stelle zu besprechen. Das Größte darin sind die erhabenen, griechische Majestät atmenden Gebetsrufe: "Heiliger Herre Gott, heiliger starker Gott, heiliger barmherziger Heiland, du ewiger Gott!" Sie sind in der Hauptsache ein altes Erbteil aus der griechischen Kirche, die kirchliche Gestalt des Trishagion (dreimal heilig, Jes. 6). Die abendländische Liturgie nahm sie in die Improperien auf. Durch Palestrinas ergreifende Karfreitags-Improperie „Mein Volk, was habe ich dir getan?" sind sie unvergeßlich.

Unter den Liedern der lutherischen Kirche hat Johann Leons, des Thüringers, noch im 16. Jahrhundert verfaßtes „Ich hab mein Sach Gott heimgestellt" zeitlich und dem Range nach den ersten Platz. Hier kommt seine erste Hälfte in Betracht. Ein gewaltiges Lied, in seinen gedrungenen Strophen mit den knappen, unbarmherzig pochenden Sätzen voller volkshafter Spruchweisheit, die vielleicht von hier aus in den Volksmund überging; z. B. „fürn Tod kein Kraut gewachsen ist", „Man trägt eins nach dem andern hin, wohl aus den Augen aus dem Sinn". Wie ein Totentanz unserer deutschen Meister schreitet die neunte Strophe daher:

> „Das macht die Sünd, du treuer Gott,
> Dadurch ist kommn der bittre Tod,
> Der nimmt und frißt all Menschenkind,
> Wie er sie findt,
> Fragt nicht, wes Stands und Ehrn sie sind."

Von Andreas Gryphius haben wir das etwas lehrhaft-breite, aber kernige und eindrucksvolle Lied: „Die Herrlichkeit der Erden muß Rauch und Asche werden." Aus der gleichen Zeit stammen die mächtigen, volkstümlich-herben Verse Michael Francks (1609—1667): „Ach wie flüchtig, ach wie nichtig ist des Menschen Leben."

Den Charakter dieses echten Volksgesanges begreift
man erst, wenn man ihn singt, nach der Melodie mit
den schweren, langsamen Schritten, zumal in den Mittelzeilen — einer Melodie, die in der schlichten, unerbitt-
lichen Eintönigkeit der kurzen Strophen die immer wieder-
holte Predigt des Textes zu unüberhörbarer Eindringlich-
keit erhebt. Das Lied erwähnt, von der letzten Zeile
abgesehen, Gott nicht. Seine Betrachtung über die Vergänglichkeit des Lebens hat keine erkennbare religiöse
Begründung. Obgleich die großen Worte von Psalm 90
und die ergreifende Klage von Psalm 39 („Wie gar
nichts sind alle Menschen, die doch so sicher leben!")
eingewirkt haben, bleibt die Gewißheit, daß Gott es
ist, der uns sterben heißt in seinem Zorn, unausgesprochen.
Und doch stammt der Wahrheitsernst des Gesanges, der
Mut dazu, sich nichts zu verhüllen, aus der Furcht Gottes
und aus der Gewißheit des Glaubens. Insofern ist es
ein durch und durch frommes Lied, selbst wo es Gott
nicht nennt.

> „Ach wie flüchtig, ach wie nichtig
> Ist der Menschen Schöne!
> Wie ein Blümlein bald vergehet,
> Wenn ein rauhes Lüftlein wehet,
> So ist unsre Schöne, sehet!"

Von großem Eindrucke ist die Schlußstrophe des langen
Liedes; die Predigt vom Vergehen wird noch einmal

wiederholt, um dann in die Verkündigung dessen, was
da bleibt, überzugehen:

„Alles, alles, was wir sehen, das muß fallen und vergehen;
wer Gott fürcht't, wird ewig stehen."

Es ist sehr zu bedauern, daß dieser Gesang unter uns
so unbekannt geworden ist; die meisten entdecken seine
Größe erst beim Hören der bekannten Bachschen Kantate.
Gewiß spricht sich in ihm zunächst die Stimmung am
Ende des Dreißigjährigen Krieges, die Wirkung dieser
furchtbaren Zeit auf das Lebensgefühl unseres Volkes
aus. Daher machte es bei seinem Erscheinen (1650)
auf die Zeitgenossen sofort gewaltigen Eindruck und
fand schnelle Verbreitung. In seinen Einzelwendungen
läßt es den Abstand der Zeiten empfinden. Man kann
nicht alle 13 Strophen heute mehr singen. Dennoch
bedürfen wir ihres Tones auch heute noch. Es ist
nur ein Ton christlichen Todesgesanges, gewiß, nicht
einmal der tiefste, aber ein gern verschwiegener und
doch ganz unentbehrlicher. Auf dem Wege zum Fried=
hof, hinter dem Sarge drein, sollte das strenge Lied,
vor und zwischen anderen, in der Gegenwart wieder
seine Stelle haben.

Unmittelbarer und deutlicher verbindet der Refor=
mierte Joachim Neander die Betrachtung der Ver=
gänglichkeit des Menschenlebens mit der entschlossenen
Zuwendung zu dem, der bleibt: „Wie fleucht dahin

des Menschen Zeit, wie eilet man zur Ewigkeit!" ...
„Nur du, Jehova, bleibest mir das, was du bist, ich
traue dir." Das „Herr, lehre uns bedenken, daß wir
sterben müssen" zieht durch dieses Lied und macht den
Eindruck von dem Dahinsterben alles Irdischen frucht=
bar für das Grundanliegen des Christen: „Herr Jesu,
zieh mein Herz nach dir." Besonders ernst und tief
erklingt die vierte Strophe:

> „Solang ich in der Hütte wohn,
> So lehre mich, o Gottes Sohn,
> Gib, daß ich zähle meine Tag
> Und munter wach,
> Daß, eh ich sterb, ich sterben mag."

Am volkstümlichsten ist die Weise von der Vergänglich=
keit und Todesnähe in dem warmherzigen, echt=lutherischen
Gebetsgesange der Gräfin Amilie Juliane zu Schwarzburg=
Rudolstadt (1637—1706) geworden. Dieses kostbare
Lied steht dem Herzen der Gemeinde bis heute besonders
nahe. Der Einsatz mit den ersten Strophen — auf ihn
kommt es uns in diesem Abschnitte allein an — greift,
am Sarge und offenen Grabe gesungen, auch dem Ferner=
stehenden an die Seele:

> „Wer weiß, wie nahe mir mein Ende?
> Hin geht die Zeit, her kommt der Tod;
> Ach, wie geschwinde und behende
> Kann kommen meine Todesnot!
> Mein Gott, ich bitt durch Christi Blut:
> Machs nur mit meinem Ende gut!"

Zu dem tiefen Eindrucke hilft die ernste, feierlich=
gehaltene Melodie stark mit. Sie ist zwar 120 Jahre
jünger als der Text, aber ein innigerer, vollkommenerer
Ausdruck für die Seele des Liedes als diese er=
greifenden Töne läßt sich nicht denken. Besonders
wirksam und unvergeßlich ist die Wiederholung des
Anfangs der vorletzten Zeile: „Mein Gott, mein Gott."

Das Lied der Gräfin redet weniger von der Ver=
gänglichkeit als von der Möglichkeit eines plötzlichen
Todes („Es kann vor Nacht leicht anders werden, als
es am frühen Morgen war"). Diesen Gedanken hat
Benjamin Schmolck (1672—1737) in fünf Strophen
seines Liedes „Ich sterbe täglich", unverkennbar ab=
hängig von jenem Gesange, aber recht breit und im
Ausdrucke reichlich platt, ausgeführt. Führte nicht eine
der letzten Strophen („Kann ich nicht segnen mehr die
Meinen . . .") etwas über die Höhenlage der gereimten
Predigt hinaus, so würde man diesen Gesang gern in
unsern Gesangbüchern missen.

Des Menschenlebens Vergänglichkeit und Gottes
Ewigkeit — das ist der große Gegensatz, der in allen
höheren Religionen tief und schwer empfunden wird:
von Psalm 102 an bis zu Goethes „Grenzen der
Menschheit". Auf dem Boden des Alten Testamentes
wird die Lösung des quälenden Lebensrätsels nicht
erreicht. Nur vereinzelt ist dem Glauben Hartgeprüfter
ein „ahnender Durchblick auf das Jenseits" geschenkt

und „die Schranke, die sonst der alttestamentlichen
Hoffnung gesteckt ist", durchbrochen, in Psalm 73 23 f.,
49 16, vielleicht auch 17 15 und Hiob 19 25 ff. Ein stetiges
Licht, eine Flamme, die allen leuchtet, sind diese Ahnungen
nicht. Mit voller, alle verbindender Klarheit weiß erst
die christliche Gemeinde die Brücke von dem ewigen
Leben Gottes zu unserem Leben geschlagen. Für den
vorchristlichen Frommen ist Gottes Ewigkeit und Unwandelbarkeit nur der mächtige Hintergrund, auf dem
die Jämmerlichkeit menschlichen Wesens desto greller
sich abzeichnet; oder der Sänger erinnert Gott an seine
unvergleichliche Ewigkeit, um ihn zum Mitleid mit dem
Menschen zu stimmen und das vorzeitige Verlöschen
des schon so kurzen Lebens abzuwenden: „Mein Gott,
nimm mich nicht weg in der Hälfte meiner Tage!
Deine Jahre währen für und für." Der christliche
Glaube erst vermag sich der Ewigkeit Gottes zu freuen,
weil die Gemeinschaft mit Gott das Ewige mitten in
die Vergänglichkeit bringt und Gottes Ewigkeit zuhöchst
als die Unwandelbarkeit und Überzeitlichkeit seiner
Gnade erlebt wird. Er ist der König, „der einzig
ewig machen kann."

> „Menschliches Wesen, was ist's gewesen?
> In einer Stunde geht es zugrunde,
> Sobald das Lüftlein des Todes drein bläst.
> Alles in allen muß brechen und fallen,
> Himmel und Erden die müssen das werden,
> Was sie vor ihrer Erschaffung gewest."

„Alles vergehet; Gott aber stehet
Ohn alles Wanken; seine Gedanken,
Sein Wort und Wille hat ewigen Grund.
Sein Heil und Gnaden die nehmen nicht Schaden,
Heilen im Herzen die tödlichen Schmerzen,
Halten uns zeitlich und ewig gesund."

(Paul Gerhardt.)

Das Lied von der Vergänglichkeit erklang und erklingt nicht nur in den Kirchen. Die Klage über das Menschenlos zieht auch durch das „weltliche" Lied, oft genug in Gedankengängen, die wir im Kirchenliede wiederfinden, oft genug auch unausgesprochen; die Wehmut, in die gerade die zartesten und tiefsten Volkslieder getaucht sind, ist nur der vielfach seiner selbst nicht bewußte Wiederklang jenes großen Menschheitsleides.

Auf der Grenze zwischen Volkslied und geistlichem Liede steht jenes alte Schnitterlied: „Es ist ein Schnitter, heißt der Tod, hat G'walt vom großen Gott, heut wetzt er das Messer, es schneidt schon viel besser, bald wird er drein schneiden, wir müssen's nur leiden. Hüt dich, schön's Blümelein." Das echt Volkshafte an dieser wundervollen, mit einer kostbaren Sangweise verwachsenen Dichtung ist die Breite; eine Blume nach der anderen wird genannt und gewarnt: „Hüt dich, schön's Blümelein." Das echt Christliche, zugleich echt Deutsche ist die Stimmung der letzten Strophe. Man denkt bei ihr

an Dürers „Ritter, Tod und Teufel" und an Luthers
trutzigen Todestriumph in den Predigten über 1. Kor. 15:

> „Trutz! Tod, komm her, ich fürcht dich nit!
> Trutz! Komm und tu ein Schnitt!
> Wenn er mich verletzet,
> So werd ich versetzet,
> Ich will es erwarten,
> In himmlischen Garten,
> Freu dich, schön's Blümelein!"

4. Das Gebet um ein seliges Ende.

Die Gebete um Bewahrung in der Todesstunde und um ein seliges Ende bilden die vorwiegende Form des lutherischen Sterbeliedes. Wir finden ihre Muster bereits im Mittelalter. Jedermann weiß von den Hymnen an die Gliedmaßen des gekreuzigten Herrn, die aus dem Kreise des heiligen Bernhard stammen, zumal von dem größten: Salve caput cruentatum; in diesem mächtigen Liede endet die Betrachtung des Schmerzenmannes schließlich in der andringenden Bitte: Dum me mori est necesse, noli mihi tunc deesse. „Wenn ich einmal soll scheiden, so scheide nicht von mir," so singen wir heute das alte Mönchslied, die schönste Blüte andächtiger klösterlicher Versenkung in die Wunden des Herrn, mit den Worten Paul Gerhardts. Das ist nur ein Beispiel für viele. In anderen Liedern wird Maria um barmherziges Fürbitten an dem schrecklichen Gerichtstage gebeten oder um Beistand für die Sterbestunde angefleht; so z. B. am Schlusse eines langen Marienliedes, das dem großen Franziskaner Bonaventura zugeschrieben wird („Sei gegrüßt, der Welt Hoffnung, Maria"); doch ist hier die Schilderung der Todesstunde

noch zurückhaltend, ebenso in anderen Liedern des
14. Jahrhunderts, die an die heilige Cäcilia oder
Margareta gerichtet sind. In den Klöstern, in den
Kreisen der Mystiker, da, wo individuelles Glaubensleben das Dogma der Kirche in warmes, strömendes
Erleben umzuschmelzen versuchte, entstand das Sterbelied als Bitte um ein seliges Ende. Wir wissen heute
— und Forschungen, die im Gange sind, werden es
nur umfassender bestätigen —, welchen Reichtum von
Sterbegebeten die katholische Frömmigkeit im 16. und
17. Jahrhundert hervorbrachte und wie ihre Motive
zurückreichen in die Klöster und Orden. Von ihnen
haben, ob in unmittelbarer Abhängigkeit oder in freiem
Schaffen, die Evangelischen gelernt in ihren Sterbegebeten und Sterbeliedern.[1]) „Nun bitten wir den
heiligen Geist um den rechten Glauben allermeist, daß
er uns behüte an unserm Ende, wenn wir heimfahrn
aus diesem Elende," so klingt die Leise aus dem
14. Jahrhundert herüber, und mit Luther stimmte seine
Kirche in den alten Gesang ein. So manches unserer
Kernlieder geht in eine Bitte für das letzte Stündlein
aus. Wir greifen einige wenige heraus. Das Neujahrs-
lied „Das alte Jahr vergangen ist" ebenso wie Kaspar

---

[1]) Vgl. D. P. Althaus, Zur Charakteristik der evangelischen Gebetsliteratur im Reformationsjahrhundert. Leipziger Dekanatsprogramm zum 31. Oktober 1914.

Melissanders „Herr, wie du willst, so schick's mit mir im Leben und im Sterben", das Leib und Seele in Gottes Hände befiehlt; Johann Heermanns mannhaftes Berufslied „O Gott, du frommer Gott" schließt mit dem Gebete „Laß mich an meinem End' auf Christi Tod abscheiden", Martin Schallings mächtiges „Herzlich lieb hab ich dich, o Herr" bietet jene wundervolle Strophe, die schon über so manchem Sarge erklungen ist: „Ach Herr, laß dein lieb Engelein an meinem End' die Seele mein in Abrahams Schoß tragen!", jene Worte, die Johann Sebastian Bach groß genug schienen, um in edelster Harmonie gesetzt an den Schluß der Johannes= passion zu treten.

Vollends nahezu jedes Lied vom Sterben läßt die Bitte um ein seliges Stündlein einmal anklingen, meist am Schlusse, wie in den mittelalterlichen Gesängen, oder in unvergeßlichem Kehrreime: „Mein Gott, ich bitt durch Christi Blut: Mach's nur mit meinem Ende gut!", oder gleich im Einsatze wie in Joh. H. Scheins, des Leipziger Thomaskantors (1586—1630), des Vor= gängers von J. S. Bach, Liede: „Mach's mit mir, Gott, nach deiner Güt, hilf mir in meinem Leiden;" obgleich dieser Gesang in Gedanken und Ausdruck fast durchweg überliefertes Gut bietet, wird er um seines schlichten, innigen Gebetstones willen immer wieder tiefen Eindruck machen. Dazu hilft die herrliche, von

edelster Weihe bewegte und gehaltene Melodie wesent=
lich mit.

Die Kirche hat das Motiv des Gebetes um ein
seliges Ende, dieses Grundanliegen der lutherischen
Frömmigkeit, zu einer ganzen Gattung von Liedern
verwandt. An Luthers mächtigen Gesang „Mitten wir
im Leben sind" ist hier zuerst zu erinnern. Die drei
Strophen sind genau parallel gebaut. Todesangst im
Leben, Höllenfurcht im Tode, Gewissenspein in der
Hölle — diese Steigerung zeigt die Verinnerlichung des
Liedes durch Luther an — werden wie mit drei
kurzen Hammerschlägen des Unerbittlich=Wirklichen aus=
gesprochen. In der Tiefe der Not wird die bange
Frage nach der Befreiung geboren, die ihre Antwort
in dem so schlicht und mächtig verkündeten Evangelium
findet: „Es jammert dein Barmherzigkeit unser Sünd
und großes Leid;" „Vergossen ist dein teures Blut,
das gnug für die Sünde tut." Und dann steigen zu
dem Gotte des Kreuzes Christi die drei flehenden
Gebetsrufe auf: „Laß uns nicht versinken in des
bittern Todes Not!" „Laß uns nicht verzagen vor
der tiefen Hölle Glut!" „Laß uns nicht entfallen von
des rechten Glaubens Trost!" In dieser dritten Bitte
sind die beiden ersten mit aufgehoben, weil zu ihrem
tiefsten Sinne gekommen. So ist der ganze große
Gesang, wie die schlichte Pfingstleise, eine Bitte „um

den rechten Glauben allermeist". Er hat seinen Sinn keineswegs nur als Gebet um ein seliges Ende. Da wir allezeit als Sterbende, von der Hölle Rachen Angefochtene, im Gewissen von Gott Gerichtete leben (wie hat gerade Luther das bezeugt und gepredigt!), sind wir „mitten im Leben" immer wieder in der Lage, aus der dieses Lied wuchs. Immer wieder muß „des rechten Glaubens Trost" die Anfechtung durch Tod, Hölle und Sünde überwinden. Daher ist es richtig und gut, den Gesang nicht nur an den Särgen, sondern auch sonst im Kirchenjahre, sonderlich in unserer bösen Zeit, anzustimmen. Als ein klassisches Reformations= lied gehört er in den Reformationsfestgottesdienst, auf den Buß= und Bettag. Nicht zuletzt bewährt er am Silvesterabend seine ungeheure Kraft und Größe und führt die Gemeinde aus den oft allzu weichen Silvester= stimmungen, denen ein evangelischer Gottesdienst nicht nachgeben sollte, hinauf vor den ganzen Todesernst des „heiligen starken Gottes", vor die ganze ver= zeihende Gnade des „heiligen barmherzigen Heilandes" — allein schon die Melodie reißt aus der Welt der Stimmungen in den Ernst wahrhaftigen Gebets. —

Wir kehren zu den Gebeten um ein seliges Ende zurück. Der Dichter denkt sich, bisweilen nur knapp andeutend, öfter breit ausmalend, in die Todesstunde

hinein, er fieht fich auf dem letzten Lager liegen in
höchfter Not Leibes und der Seele:

> „Mich dünkt, da lieg ich fchon vor mir
> In großer Hitz, ohn Kraft, ohn Zier,
> Mit höchfter Herzensangft befallen,
> Gehör und Rede nehmen ab,
> Die Augen werden mir ein Grab,
> Doch kränkt die Sünde mich vor allen,
> Des Satans Anklag hat nicht Ruh,
> Setzt mir auch mit Verfuchung zu.“

So heißt es in einem der größten diefer Lieder, das
uns der Oftpreuße Simon Dach, der Königsberger
Profeffor der Dichtkunft (1605—1659), gefchenkt hat,
dem von Leibniz bewunderten: „Ich bin ja, Herr, in
deiner Macht.“ Und dann folgt jenes ergreifende
Ringen mit Gott um feinen Beiftand: „Wer hilft mir
nun in diefer Not, wo du nicht, Gott, du Todes Tod?“
Es geht eine ftarke, faft leidenfchaftliche Bewegung
durch die Strophen: „Herr Jefu, ich, dein teures Gut,
bezeug’s mit deinem eignen Blut, daß ich der Sünde
nicht gehöre. Was fchont denn Satan meiner nicht
und fchreckt mich durch das Zorngericht? Komm, rette
deines Leidens Ehre! Was gibeft du mich fremder
Hand und haft fo viel an mich gewandt?“ Aber nach
dem Ringen folgt der Sieg, und in großer, trotzender
Gewißheit endet das Lied. Andere Lieder, die zu der
gleichen Gruppe gehören, find fchlichter und ruhiger

gehalten. So der wunderbar klare Todesgesang des
Joachimstaler Kantors Nikolaus Herman: „Wenn
mein Stündlein vorhanden ist und soll hinfahr'n mein
Straße, so g'leit du mich, Herr Jesu Christ." Hier
überwindet die unmittelbare Kraft reformatorischer
Heilsgewißheit die bitteren Gedanken an die Schrecken
der letzten Stunde gleichsam im Aufkeimen. Die Anfangs=
bitte geht bald, ohne daß es wie in Simon Dachs
Liede zum Gebetsringen kommt, in Worte hoher,
froher Zuversicht über, zumal in den wundervollen
Strophen 3 und 4. An dem Gekreuzigten, Auferstandenen
und Aufgefahrenen hängt der Glaube: „Ich bin ein Glied
an deinem Leib, des tröst ich mich von Herzen." Gibt
es eine einfachere Aussprache christlicher Sterbens=
zuversicht, die zugleich so erschöpfend ist wie der Juwel
dieses Liedes: „Denn wo du bist, da komm ich hin,
daß ich stets bei dir leb und bin, drum fahr ich hin
mit Freuden." Hier klingen Luthers Worte aus „Nun
freut euch, liebe Christen g'mein" wieder: „Denn ich
bin dein, und du bist mein, und wo ich bleib, da sollst
du sein, uns soll der Feind nicht scheiden." Und es
ist der Ton angegeben, den späterhin Paul Gerhardt
in seinem jauchzenden Osterliede „Auf, auf, mein Herz,
mit Freuden" so hell und frisch weitergesungen hat:
„Ich hang und bleib auch hangen an Christo als ein
Glied." — Die Melodie des Hermanschen Gesanges

5*

gehört zu den edelsten, andringendsten Weisen unserer
Kirche. Bach hat sie dreimal zu kostbaren Sätzen bearbeitet. Ihre Eigenart erhält sie schon dadurch, daß
nicht, wie sonst üblich, die erste und zweite Zeile, sondern
die zweite und dritte wiederholt werden.

Tritt bei Herman die Schilderung der letzten Stunde
mehr zurück, so nimmt sie in Paul Ebers ehrwürdigem
und gesegnetem, ebenfalls von Joh. Seb. Bach unvergeßlich
verwandtem Bittgesange „Herr Jesu Christ, wahr Mensch
und Gott" wieder zwei volle Strophen ein.

> „Wenn ich nun komm in Sterbensnot
> Und ringen werde mit dem Tod,
> Wenn mir vergeht all mein Gesicht
> Und meine Ohren hören nicht,
> Wenn meine Zunge nicht mehr spricht
> Und mir vor Angst mein Herz zerbricht,
>
> Wenn mein Verstand sich nicht besinnt
> Und mir all menschlich Hilf zerrinnt:
> So komm, o Herr Christ, mir behend
> Zu Hilf an meinem letzten End
> Und führ mich aus dem Jammertal,
> Verkürz mir auch des Todes Qual!"

Ein Dreifaches ist an allen diesen Bitten für die letzte
Stunde bezeichnend; man kann das etwa an einem so
unselbständigen, den Durchschnitt wiedergebenden Dichter
wie Benjamin Schmolck feststellen, ich denke an sein Lied
„Ich sterbe täglich", dessen zweiter Teil hier in Betracht

kommt, oder an das noch unbedeutendere „Mein Gott,
ich weiß wohl, daß ich sterbe." Zuerst: daß Jesus
das Leiden verkürzen wolle, ist eine häufige Bitte.
Die Bitterkeit des Sterbens hat das lutherische Christen=
tum stets gesehen. Die Freude an dem „erbaulichen"
Sterbebette ist pietistisch. Doch bittet schon Martin Behm
1610 in seinem Liede: „O (Herr) Jesu Christ, meins
Lebens Licht": „Behüte mich vor Ungeberd, wenn ich
mein Haupt nun neigen werd." — Aber das Haupt=
anliegen geht auf andere Dinge. Vor allem — dies
ist das zweite — darauf, daß mitten in der Not
des Sterbens der Glaube erhalten bleibe. Daran liegt
alles, daß im Sterben der Blick auf Gottes Gnade
und auf den Heiland Jesus Christus, den für uns
Gekreuzigten, nicht verdunkelt werde. Darum zu bitten
hatte Luther den Christen in seinem „Sermon von der
Bereitung zum Sterben" 1519 eindringlich ans Herz
gelegt: „Darzu sollt man das ganz Leben lang bitten
Gott und seine Heiligen um die letzten Stund, für einen
rechten Glauben, wie dann gar fein gesungen wird am
Pfingsttag: Nu bitten wir den heiligen Geist um den
rechten Glauben allermeist, wenn wir heim fahren aus
diesem Elende usw. Und wann die Stund kommen,
soll man Gott desselben Gebets ermahnen." An dieser
Stelle ist der Unterschied zwischen der katholischen
und der evangelischen Sterbeseelsorge besonders deutlich.

In der katholischen Gebetsliteratur spielt die Bitte um
Bewahrung vor einem bösen schnellen Ende eine große
Rolle. Es war dabei an den Tod ohne vorherigen
Empfang der Sterbesakramente gedacht. St. Barbara
und Christophorus sollten vor solchem Sterben schützen.
Bekannt ist vor allem die Gebetszeile der römischen
Litanei: „Ab subitanea et improvisa morte . . .“
Luther gab sie in seiner deutschen Litanei wieder mit:
„für bösem schnellen Tod . . . behüt uns, lieber Herre
Gott.“ Aber die alten Worte erhielten auf evangelischem Boden einen ganz neuen Sinn. Während die
katholische Theologie bis heute lehrt, die letzte Ölung
sei unter Umständen das einzige Mittel für die Rettung
eines Todsünders, wenn dieser in Schwäche das Buß-
sakrament nicht empfangen kann, erklärte Luther in
dem vorhin genannten Sermon ausdrücklich: wenn man
in der Todesstunde die Sakramente nicht empfangen
kann, „soll nicht desto weniger das Verlangen und
Begehren derselben tröstlich sein, und nicht darob zu
sehr erschrecken. Christus spricht: alle Dinge sind
möglich dem, der da glaubt. Denn die Sakramente
sind auch anderes nicht denn Zeichen, die zum Glauben
dienen und reizen, ohne welchen sie nichts nütze sind.“
So ist mit dem bösen schnellen Tode im Munde der
Evangelischen nicht das sakramentlose, sondern das
glaubenslose Sterben gemeint. Daher in den Liedern

die vielen Bitten an den Herrn um seinen Beistand in
der letzten Stunde: er wolle bei uns stehen, mit seinem
Geiste nahe sein, den Glauben stärken, der „Blödigkeit"
aufhelfen („stärk des Fleisches Blödigkeit"; „stärk
meinen blöden Mut"), zum „ritterlichen Ringen" Kraft
geben (wie Luther im Pfingstliede bittet, Chr. Knoll in
der letzten Strophe von „Herzlich tut mich verlangen");
er wolle selber in seiner Leidensgestalt erscheinen, damit
der Sterbende beim Schwinden aller Kräfte an ihm
„klebe wie eine Klett am Kleid": „Halt mir dein
Kreuze für", „Laß dich erblicken, mich zu erquicken",
„Erschein mir in dem Bilde, zu Trost in meiner Not".
Besonders verlangend erklingt gerade diese Bitte in
dem warmherzigen Jesusgebete des Sachsen M. Hunold
„Mein Jesus kommt, mein Sterben ist vorhanden".
Inmitten der Anfechtung durch die eigene Sünde, durch
Tod, Teufel und „böse Geister" bedarf der Glaube die
Nähe dessen, an den er sich hält, damit er nicht sterbe.
Seliges Sterben, das oft=erbetene, ist ein Sterben im
Glauben an den Gekreuzigten; weil aber der Glaube
die Unruhe und Angst der Seele überwindet, zugleich
ein Sterben in Ruhe, Friede, Freude. Gerade um
freudiges Sterben bitten auch mehrere Lieder, die nicht
zu den Sterbegesängen gehören; so der Himmelfahrts=
gesang „Auf Christi Himmelfahrt allein" und das oben
erwähnte Gebetslied „Herr, wie du willst, so schick's

mit mir". — Die entscheidende Anfechtung ist auf
evangelischem Boden die Stimme des eigenen Gewissens.
Aber für unsere Väter handelte es sich bei dem Ringen
des Glaubens in der letzten Anfechtung keineswegs
um Vorgänge, die sich allein innerhalb der Seele ab=
spielen. Das wäre viel zu „subjektiv" und modern
gedacht. Im Tode setzt — so geht es aus vielen
Liedern hervor — noch einmal der Kampf des Satans
um die Seele, die da sündig und ihm verfallen ist, ein.
Noch einmal müssen Christi Blut und Wunden ins
Mittel treten. So ist das Sterben ein Kampf, in dem
sich die letzten Mächte dieser Welt messen: Gottes Sohn
mit der Kraft seines Todes, Satan und Tod. Was
auf dem stillen Sterbebette, vor Menschenaugen ver=
borgen, geschieht, ist in Wahrheit ein Ereignis, das
Himmel und Hölle bewegt. Das große Weltdrama
des Karfreitags wiederholt sich noch einmal auf dem
Sterbebette jedes Christen.[1]) Mag der Kampf im

---

[1]) So stellt auch die deutsche protestantische Malerei des
17. Jahrhunderts die Dinge dar. In der Hamburger Kunst=
halle hängt das Bild eines Hamburger Meisters (ca. 1630—1700)
„der Tod". Zur Linken des Sterbenden steht der Tod und
redet auf ihn ein, am Fußende der Satan, der die Gesetzes=
tafeln vorhält, zur Rechten Christus mit den Wundenmalen,
das Evangelienbuch dem Sterbenden weisend. — Das ist die
genau gleiche Auffassung der Todesstunde wie in den Liedern.
Vgl. besonders „Ich bin ja, Herr, in deiner Macht".

Grunde durch das, was am Karfreitag, in der Taufe und Rechtfertigung des Christen geschah, entschieden sein, man nimmt ihn dennoch ernst genug. Darauf gehen die sehr ernst gemeinten Bitten, der Herr wolle die Seele des Sterbenden in seine Hände nehmen und sie durch seinen Engel auf Elias Wagen geleiten und bewahren. Diese Gedanken sind nicht modern auf innerseelische Vorgänge zu deuten.

Ein Eindruck drängt sich bei alledem unabweisbar auf: unseren Vätern aus dem 16. und 17. Jahrhundert bedeutete die „Todesnot" etwas anderes, Tieferes als der Christenheit von heute. Für die Väter lag die Schwere des Sterbens in der Not des Gewissens: die Gewißheit des gnädigen Gottes mußte erst wieder erkämpft werden. Für uns heute besteht die Not des Sterbens vor allem in der Anfechtung, die Gewißheit Gottes überhaupt zu verlieren. Den Vätern brachte das Sterben die große Not. Uns ist das Sterben selbst die Not. Den Vätern entstand die Schwere des Sterbens aus der Gewißheit um die Ewigkeit, denn die Ewigkeit wurde in ihrer gewaltigen Doppelheit erfaßt. Für viele in der Gegenwart bedeutet die Gewißheit der Ewigkeit, wenn sie in schwerster Stunde errungen wird, den Sonnenaufgang: nun kommt alles Fragen zur Ruhe. Die Glaubensnot des Sterbens ist nicht in der Wurzel Gewissensnot wie bei den Vätern.

Wie weit die christliche Gegenwart hinsichtlich der Tiefe
christlicher Frömmigkeit hinter den Vätern zurücksteht,
ist bei der Todesfrage unverkennbar. Weil die Worte
„Sünde" und „Heiligkeit Gottes" uns allen so selten
schneidende, die Seele wie ein Schwert durchfahrende
Wirklichkeiten sind, so rechtgläubig wir auch sein mögen,
darum sind vielen Christen unserer Tage die Haupt-
anliegen des alten Luthertums für das Sterben ferner
gerückt. Ein Wachsen in die Tiefe bedürfen wir
dringend. —

Endlich — und das ist das dritte — steigert sich
manches Lied zu der eindringlichen Bitte an den
Herzenskündiger, wenn das Gebet auf den erblassenden
Lippen verstummt, das Seufzen aufzunehmen, oder
zu dem Gebete an Jesus, für den, der nicht mehr
beten kann, mit seinem Geiste einzutreten. „Und wenn
ich nicht mehr sprechen kann, so nimm den letzten
Seufzer an: Gott, sei mir Sünder gnädig!" „Wenn
meine Kräfte brechen, mein Atem geht schwer aus,
wenn ich nicht mehr kann sprechen: Herr, nimm mein
Seufzen auf!" „Wenn mein Mund nicht kann reden
frei, dein Geist in meinem Herzen schrei." „Kann ich
nicht segnen mehr die Meinen, so segne du sie, Herr,
für mich."

Im einzelnen weist der Aufbau aller dieser Lieder
folgende Stücke auf: zunächst die allgemeine einleitende

Bitte für die Sterbestunde, darauf die Schilderung der Sterbensnot, dann Wiederholung der Bitte, zum Teil — so bei Simon Dach und anderen — mit Beifügung von Motiven der Erhörung, besonders schön in dem Liede der Schwarzburger Gräfin, das recht eigentlich in diese Gruppe gehört, „Wer weiß, wie nahe mir mein Ende!": „Ich habe Christi Leib gegessen, ich hab' sein Blut getrunken hier; nun kannst du meiner nicht vergessen!"; endlich folgt der Ausdruck der Erhörungsgewißheit. Diese Stücke kehren, ob auch nicht immer vollzählig und in der gleichen Reihenfolge, wieder.

Ein besonderes Wort fordert Martin Behms schon erwähntes Lied: „O Jesu Christ, mein's Lebens Licht." Im Mittelpunkte stehen hier sieben Strophen, in denen die Einzelzüge des Leidens und der Erhöhung Jesu als Kräfte für Tod und Heimfahrt des Christen genannt werden: „Dein Blutschweiß mich tröst' und erquick', mach mich frei durch dein Band und Strick." Hier ist die auch für die evangelische Gebetsliteratur nachgewiesene Anlehnung an katholische Muster, an die sinnende Anwendung aller Leidensstationen des Herrn auf Leiden und Tod des Christen, wie solche vor allem in der Mystik Bernhards gepflegt wurde, deutlich. Ja auch die Verehrung und seelsorgerliche Verwertung der einzelnen Wunden und Gliedmaßen, die wir aus dem späten Mittelalter kennen, hebt wieder an. Da ist es

nun lehrreich zu sehen, wie eine Strophe unseres Liedes
(sie fehlt freilich in den meisten neueren Gesangbüchern)
unmittelbar zu der herrnhutischen Poesie der Nägelmale
hinüberführt:

> „Laß mich durch deine Nägelmal
> Erblicken die Genadenwahl;
> Durch deine aufgespaltne Seit'
> Mein arme Seele heimgeleit.“

Bei Zinzendorf kehrt die Strophe, etwas verändert, wieder
in seinem wichtigen Liede „Du unser auserwähltes Haupt“,
die Verbindung der Gnadenwahl mit den Wundenmalen
auch am Schlusse von „Christi Blut und Gerechtigkeit“:
„Ich will nach meiner Gnadenwahl hier fleißig sehn ins
Wundenmal“; übrigens auch sonst in der Blut= und
Wundenpoesie der Herrnhuter. Die geschichtlichen Zu=
sammenhänge der Blut= und Wundentheologie werden
hier besonders greifbar.

Endlich sei an drei Lieder erinnert, die, als
ganze genommen, einer anderen Gruppe zugehören,
aber doch durch die Bitte für die Sterbestunde mit
den eben besprochenen Gesängen verwandt sind: das
feine und zarte, mit einer prächtigen Melodie begabte
„Christus, der ist mein Leben“, Valerius Herbergers
herrliches „Valet will ich dir geben“ und das Sterbe=
lied eines ungenannten Verfassers: „Freu dich sehr, o
meine Seele“, dessen zweiter Teil hierhergehört. Hat

das erste in seinem Herzen die drei Strophen für die
Sterbensnot: „Wenn meine Kräfte brechen" usw., so
leuchtet in dem zweiten die wundervolle Perle, erinnernd
an Paul Gerhardts „Erscheine mir zum Schilde"; es
sind jene Worte, die Sebastian Bachs Johannispassion
in der Zartheit eines es-Dur-Satzes als Bekenntnis
der gläubigen Gemeinde angesichts der Kreuzesüberschrift
bringt: „In meines Herzens Grunde dein Nam' und
Kreuz allein funkelt all Zeit und Stunde, drauf kann
ich fröhlich sein. Erschein mir in dem Bilde zu Trost
in meiner Not, wie du, Herr Christ, so milde dich hast
geblut zu Tod." Das dritte endlich bietet eine innige
Bitte an den Gekreuzigten für die Sterbestunde, deren
Leibesnot in der bekannten Weise gezeichnet wird: „In
dein Seite will ich fliehen bei dem bittern Todesgang,
durch dein Wunden will ich ziehen in das himmlisch
Vaterland." Hier kündigt sich wie in Behms oben
behandeltem Liede die Wundenpoesie Herrnhuts an.
Es ist ein im lutherischen Liede neuer, fraglos fremder
Ton. Und doch will er zuletzt nur ein besonders
starker Ausdruck der einen evangelischen Grundgewißheit
sein: das Kreuz ist die Zuflucht des Sterbenden. Das
ist der gemeinsame Zug aller dieser Lieder, auch derer,
die in der gesunden evangelischen Zurückhaltung bleiben
und wohl über den Gekreuzigten, aber nicht über die
Wunden im einzelnen nachsinnen: nicht Heilige, nicht

eigener Wert, sondern Christi Tod und Wunden sind Grund der Zuversicht. Weil Christus sein Blut vergossen hat, kann das Sterben ein seliges sein; das Grauen vor Hölle, Tod und Sünde ist dahin. „In Jesu Namen sanft und still ich wandern will zur Seligkeit mit Freuden" (G. Werner). Lutherisches Christentum steht im Leben und Sterben unter Jesu Kreuze; es ist Karfreitagschristentum. Der Karfreitag und der eigene Todestag sind die beiden großen Tage im Leben des lutherischen Christen.

Wir scheiden von dieser Gruppe mit der Freude an einem besonders kostbaren Liede (von Joh. Kempf, Diakonus in Gotha, † 1625):

„Wenn ich in Todesnöten bin
Und weiß kein'n Rat zu finden,
So nehm ich meine Zuflucht hin
Zu Christi Tod und Wunden!
Darinnen find ich Hilf und Rat
Wid'r Gottes Zorn und Missetat,
Auch wider Tod und Hölle!

Es ist kein Schmerz, kein Leid, kein Not,
Kein Angst so groß auf Erden,
So nicht durch Christi Wunden rot
Könnte geheilet werden.
Sein Tod mein Leben und Gewinst,
Mein Hoffnung, Zuflucht und Verdienst,
Mein Schatz, mein Ehr', mein Krone!

Nun fühl ich Schutz, Trost, Ruh und Freud
In deinen heilgen Wunden.
Nun ist all's Leid und Traurigkeit
Aus meinem Herzen schwunden.
Fahr' hin, mein Seel, Gott wartet dein
Mit seinen lieben Engelein,
Führt dich ins Himmels Saale."

5. Das Lied vom Heimgang.[1]

In mächtiger Kraft drängen sich in die letzten Tage und Stunden, wenn sie bewußt durchlebt werden, die Gefühle zusammen: die Liebe zum Leben, das natürliche Grauen vor dem Tode, der Schmerz darüber, nun gehen zu müssen und die engsten Bande zu zerreißen, die Ergebung in Gottes Hand und Willen, die Sehnsucht nach der ewigen Heimat und der vollendeten Gemeinschaft mit Gott, nach der Befreiung von Last und Leid dieses Lebens, die getroste Zuversicht des Glaubens, der auch im dunklen Tale die ewige Hand spürt. Bei jedem Menschen wird der beherrschende Ton des Herzens ein anderer sein, bei dem Jüngling ein anderer als bei dem Greise, bei dem Gebrochenen nicht der gleiche wie bei dem in voller Kraft Stehenden. Der eine hat schwer daran zu tragen, daß er gehen muß. Dem anderen ist es Seligkeit, daß er gehen darf. Und ein dritter erlebt den gewaltigen Widerstreit dieser Empfindungen ungemindert.

---

[1] Natürlich läßt sich diese Gruppe von der nächsten (Heimweh und Ewigkeit) im einzelnen nicht scharf abgrenzen.

Auch die Väter des 16. und 17. Jahrhunderts waren lebendige Menschen. Sie haben die Bitterkeit des Todesschicksals, die Härte des Abschieds von der Gemeinschaft der Familie und der Freunde tief empfunden. Sie scheiden nicht kaltherzig, ohne einen Blick wehmütiger Liebe aus der Welt. Es geht dem lutherischen Christen ans Herz: ich muß „verlassen meine liebsten Freund, die 's mit mir herzlich gut gemeint". Die Ergebung in Gottes Willen war auch den Vätern nicht Natur, sondern mußte im Kampfe errungen und erbeten werden: „wenngleich süß ist das Leben, der Tod sehr bitter mir, will ich mich doch ergeben, zu sterben willig dir." Oft genug ringt das Himmelsheimweh mit der natürlichen Liebe zum Leben und zur Welt, mit dem Leide, die Freunde und die Kinder verlassen zu müssen. Wohl läßt manches Sterbelied den Ton fröhlichen Abschiedes erklingen: „mit Freud fahr ich dahin," aber diese Freudigkeit galt niemals als etwas Selbstverständliches, sie war immer wieder Gegenstand ernsten, ja bangen Bittens: „Soll ich einmal nach deinem Rat von dieser Welt abscheiden, verleih mir, Herr, nur deine Gnad, daß es gescheh mit Freuden!"

Dieses Ringen gibt dem alten Liede vom Heimgang so oft die tiefe innere Bewegung. Zwei Welten stehen vor dem Blicke des Sterbenden. Abschiedsweh und

Himmelsfreude, Bangigkeit und tiefes Aufatmen dessen,
der seine Last ablegen darf, begegnen und durchdringen
einander. Allerdings übertönt die Freude, daß das
saure Leben nun endet, und die hohe Gewißheit um
das „bessere Leben" alles andere. Der Abschied von
der Welt ist dann oft eine Form, die nicht zu Herzen
geht: „Gehab dich wohl, du schnöde Welt, bei Gott
zu leben mir gefällt." Die „schnöde", „arge", „falsche"
Welt kann nur trügen und zur Sünde versuchen. In
dem „Ade Welt"! liegt nicht Schmerz, sondern Trotz
und überlegene Freude dessen, der einem bösen Herrn
entführt wird. Diese Wendung (Ade oder Valet), die
im lutherischen Liede immer wieder begegnet, ist ein
altes Motiv. Wir finden es beispielsweise bei Heinrich
von Laufenberg im 15. Jahrhundert. Die Stilform ist
ursprünglich wohl dem Abschiedsgruße des über Land
Fahrenden an die Heimatstadt nachgebildet. Viel per=
sönlicher und echter sind die Lieder dann, wenn sie der
Zurückbleibenden gedenken, ob der Sterbende ihnen nun
tröstend, auch ernst mahnend zuspricht und so Abschied
nimmt oder ob er die Seinen im Gebete Gott und
dem Heilande empfiehlt (wie Michael Hunold es be=
sonders schön in dem Liede „Mein Jesus kommt" tut).
Auch hier gibt es natürlich Stilformen (so in Gryphius'
„Es ist vollbracht": „Fahr hin, o Welt, ihr Freunde
gute Nacht!"), in denen nicht immer der Puls des

Lebens und echter Empfindung schlägt. Aber wie persönlich und lebendig der Abschied durchkostet wurde, zeigt manches Lied. Man mag auch an die Totenklage der Zurückbleibenden erinnern, wie etwa Johann Heermann sie beim Tode seiner ersten Frau fein in Liedesform gebracht hat („Ach Gott, ich muß in Traurigkeit mein Leben nun beschließen"), und an jene besonders beliebte Gattung von Liedern, in denen der Heimgegangene als redend eingeführt wird und die Weinenden tröstet: „Was weinet ihr? Tragt ihr denn noch des Trauerns schweres Joch? Ach, trocknet euch die Tränen ab, denkt, was für Freud ich hab" (J. Heermann). Überall ergreift uns mitten in der klaren Gewißheit und Ewigkeitsfreude der Ton tiefer, warmer Menschlichkeit bei Trauer und Zuspruch.

Gehen wir den einzelnen Liedern nach, so mag zuerst des Gesanges „vom unerschrockenen Absterben des Gläubigen" gedacht sein, den Ambrosius Blaurer, der schwäbische Reformator, um die Mitte des 16. Jahrhunderts im Versmaß des Liedes der Königin Maria von Ungarn („Mag ich Unglück nicht widerstahn") sang: „Mag ich dem Tod nicht widerstahn." Warum der Christ sich nicht aufbäumt gegen das Sterben, warum er mit herzlicher Ergebung, ja freudig sterben kann, das wird tief begründet und klar bekannt. Wir spüren den Hauch Lutherschen Geistes in dem besonders schönen

6*

Bekenntnis des Evangeliums vom Gekreuzigten, um deswillen wir nicht des ewigen Todes zu sterben brauchen. Nicht immer ist späterhin die Liebe des Vaters, der „mir Christum g'schenkt, ans Kreuz gehenkt" als tiefster Grund unserer Zuversicht so hell und warm verkündet wie hier: „Ist das nit Gunst, groß Lieb umsunst vom Vater gut: an mir solchs tut, macht mich seins Reichs zum Erben?" Es geht etwas von der königlichen Freiheit des Christenmenschen, der durch Christus des Todes mächtig ward, durch dieses männliche Lied des charaktervollen Theologen; fast stärker noch durch seinen Auferstehungsgesang:

„Ein Freud ist's dem gläubigen Mann,
Ob ihn der Tod schon greifet an,
Er kann ihn frei verachten.
In Christo ist er Freuden voll,
Daß er auf ihn hinscheiden soll,
Ins Leben er nun trachtet."

Man wird an Paul Gerhardts große Verse „Unverzagt und ohne Grauen..." erinnert. Blaurers Lied vom Sterben wurde im 17. Jahrhundert auch in Norddeutschland gesungen. Später ist es dann von anderen Sterbegesängen verdrängt worden.

Unter den Sterbeliedern unserer Gesangbücher steht zeitlich voran das ehrwürdige „O Welt, ich muß dich lassen, ich fahr dahin mein Straßen ins ewge Vater-

land", in den ersten Zeilen nach dem Volksliede von
Innsbruck gebildet und mit dessen edler, schlichter
Melodie verbunden. Der Abschied von der Welt tritt
hier in der Form einer über drei Strophen sich er-
streckenden Bußpredigt an die Welt auf: „O Welt, tu
dich besinnen, denn du mußt auch von hinnen", „Hüt
dich vor Pein und Schmerzen, nimm mein Abschied zu
Herzen!" Man ist leicht geneigt, diesen namenlosen
Gesang zu unterschätzen. Sicher ist er als Dichtung
nicht bedeutend. Aber der schlichte und reine Ausdruck
einer auf Christi Tod begründeten Heilsgewißheit, der
helle Ton des Rechtfertigungsglaubens macht uns das
Lied auch heute wert: „Umsonst will er mir's geben ...
Drauf will ich fröhlich sterben." Immerhin tritt es an
Bedeutung zurück hinter dem um fünfzig Jahre jüngeren,
in Text und Melodie mächtigen „Herzlich tut mich verlangen", von dem schlesischen Pastor Knoll zu Beginn
des 16. Jahrhunderts wohl während einer Pestseuche
gesungen. „Ich hab Lust abzuscheiden von dieser argen
Welt, sehn' mich nach ewgen Freuden; o Jesu, komm
nur bald!" Der Gesang ist besonders schön aufgebaut
und gegliedert. Der Christ redet zuerst sehnsüchtig,
gläubig, ergeben mit dem Herrn (1—3), dann tröstet
er sich selber über die Verwesung des Leibes, das
Scheiden von der Welt und aller ihrer Zier, den Abschied
von den Freunden und das Los der zurückbleibenden

Waisen, „der'n Not mich über Maße jammert im Herzen mein": Christus erweckt den Leib zu leuchtender Herrlichkeit, droben wartet das ewige himmlische Wesen und unzerstörbare Gemeinschaft mit den Freunden, die Waisen wird Gott versorgen (4—7); weiter spricht der Sterbende den armen „Waiselein" und den trauernden „Vielgeliebten" zu, Worte herrlichen Glaubens und inniger Liebe, von unvergänglicher Trostkraft (8—9). Endlich wendet er sich, wie Luther in seinem „Sermon von der Bereitung zum Sterben" will („wann so jedermann Urlaub auf Erden geben, soll man sich dann allein zu Gott richten, da der Weg des Sterbens sich auch hinkehret und uns führet"), nach dem Abschiede von allem, was irdisch ist, in wunderbar schönem Ausdrucke wieder zu dem Herrn, nun ganz im Gebete endend (10—11): „Nun will ich mich ganz wenden, zu dir, Herr Christ, allein: gib mir ein selig's Ende!" Es ist das rechte Lied des Sterbebettes, der Abschied des sterbenden Vaters. Die große Melodie hat J. S. Bach neunmal als vierstimmigen Choralsatz bearbeitet. Acht dieser Sätze gehören den Texten von „O Haupt voll Blut und Wunden" und „Befiehl du deine Wege" zu. Der eine Satz zu unserem Liede ist von besonderer Ausdruckskraft.

Der Abschied von der Welt beherrscht den Einsatz von Valerius Herbergers schon erwähntem Liede, ebenso von Georg Werners schönem Sterbegesang „Mein

Lauf, gottlob, ist bald vollbracht, Welt, gute Nacht, wir müssen uns nun scheiden" — es ist das Lied vom Sterben „in Jesu Namen". Ähnlich beginnt das im Dreißigjährigen Kriege gesungene „Welt ade, ich bin dein müde", das uns in einem späteren Abschnitte noch einmal begegnen wird. Ist hier die Schilderung des irdischen Jammertales gleichsam überglänzt von dem herrlichen Bilde der Hoffnung, so herrscht in „Freu dich sehr, o meine Seele", dessen zweiter Teil, wie wir sahen, der vorigen Gruppe zugehört, die schmerzvolle Klage des müden Kreuzträgers vor, die Sehnsucht, daß die Not dieses Lebens ende: „Wie sich sehnt ein Wandersmann, daß sich ende seine Bahn, so hab ich gewünschet eben, daß sich enden mög mein Leben." Erst in der letzten Strophe, in der nach dem schönen Gebete für die Sterbestunde noch einmal das mächtige Motiv des Anfangs „Freu dich sehr, o meine Seele" wiederkehrt, liegt auf dem leidgezeichneten Antlitze etwas von dem fröhlichen Widerschein der ewigen Freude bei den Engeln.

In mehreren der genannten Lieder kehren zwei Bibelstellen wieder: das Pauluswort „Ich habe Lust abzuscheiden und bei Christo zu sein; Sterben ist mein Gewinn" und die Simeonsbitte „Herr, nun lässest du deinen Diener in Frieden fahren". — Luthers wundervolle schöpferische Nachdichtung der Simeonsworte in

seinem knappen, von der Größe der reformatorischen
Gedanken durchzogenen Liede „Mit Fried und Freud
ich fahr dahin" war hier vorangegangen. Seine Verdeutschung war nicht die einzige im 16. Jahrhundert,
aber sie steht weit über allen anderen. Die Krone
des Liedes bleibt, so groß auch die vierte Strophe als
Epiphanias- und Missionsgesang ist, doch die erste.
Hier kommt die Feinheit des Versbaus zu ihrer
größten Wirkung, hier drückt der zwiefache Wechsel
einer acht- und viersilbigen Zeile („in Gotts Wille"
heißt es bei Luther, nicht: „in Gottes Wille") und
der Abschluß mit zwei siebensilbigen Zeilen am voll-
kommensten das aus, war er darstellen soll: Frieden
und hohe, stille Freude. Die Melodie läßt vollends
die Schönheit der ersten Strophe prächtig aufleuchten.
Sie gehört ihr mehr als den drei anderen: stark, voll
Ostermajestät, vor allem in der ersten Zeile, und zugleich so zart und friedevoll bei dem „sanft und stille".
Was für ein seliges, staunendes Triumphieren geht
durch die Töne der letzten Zeilen: „Wie Gott mir ver-
heißen hat: der Tod ist mein Schlaf worden."

Bezeichnend für Luthers Simeonsgesang ist, daß er
dem „Frieden" des biblischen Textes (Luk. 2 29) die
„Freude" beifügt. Das hat im lutherischen Kirchenliede stark weitergewirkt. Wo der Simeonston laut
wird, heißt es häufiger „mit Fried und Freud" oder

auch nur „mit Freud" als „in Frieden". Für das
erste sei an das schlichte „In Christi Wunden schlaf
ich ein", an die schönen Schlußzeilen von Johann Leons
„Ich hab mich Gott ergeben" („In Gottes Fried und
Gnaden fahr ich mit Freud dahin") und an die sechste
Strophe von „Freu dich sehr, o meine Seele" („Hilf,
daß ich mit Fried und Freud mög von hinnen fahren
heut") erinnert, für das zweite an „Christus, der ist
mein Leben" und die dritte Strophe von „Alle Menschen
müssen sterben". Für das dritte, den genauen Anschluß
an den biblischen Text, nennen wir die beiden Gesänge,
in denen das Simeonswort nicht nur ein Motiv dar-
stellt, sondern das beherrschende Thema bildet: „Herr
Gott, nun schleuß den Himmel auf" und „Herr, nun
laß in Friede", außerdem das spätere „Es ist genug".

Bei einigen dieser Lieder verweilen wir einen Augenblick; die übrigen begegnen in anderen Gruppen. „In
Christi Wunden schlaf ich ein" sollte man nicht als
Abendgebet gebrauchen. Die mit „Christi Blut und
Gerechtigkeit" beginnenden vier Zeilen wurden schon
im 17. Jahrhundert aus dem Ganzen herausgehoben
und führten ein eigenes Leben. Was sie für Zinzendorf bedeuteten und wie die „Blut= und Wunden=
theologie" sie zu Ehren brachte, ist bekannt. Zinzendorf nahm sie zum Einsatz und Thema jenes für die
Frömmigkeit der Brüdergemeine so bedeutsamen Liedes,

in dem die Worte stehen: „Da kommt ein Sünder her, der gern fürs Lösgeld selig wär." — Johann Leons Strophe „Ich hab mich Gott ergeben" hat durch Joh. Siegfried eine Fortsetzung in drei Strophen gefunden: der Kehrreim gibt den vier Strophen auch formell eine schöne Einheit. Die vierte Strophe bietet das Motiv des Trostes und der Mahnung an die „Liebsten all= zumal" in schlichtem, ansprechendem Ausdruck („den rechten Port noch heute nehmt fleißig ja in acht, in Gottes Fried und Freude fahrt mir bald alle nach").

Auf die Höhe ihrer Vollendung kommt die Gruppe der Abschiedslieder in den beiden oben zuletzt genannten Gesängen. Der Thüringer Pfarrer Tobias Kiel — er ist kaum mehr als 40 Jahre alt geworden († 1627) — hat der lutherischen Kirche eines ihrer herrlichsten Sterbe= lieder geschenkt:

> „Herr Gott, nun schleuß den Himmel auf,
> Mein Zeit zum End sich neiget;
> Ich hab vollendet meinen Lauf,
> Des sich mein Seel sehr freuet.
> Hab g'nug gelitten,
> Mich müd' gestritten,
> Schick mich fein zu,
> Zur ewgen Ruh,
> Laß fahren, was auf Erden,
> Will lieber selig werden."

Das ganze dreistrophige Simeonslied ist Gebet. In seiner Knappheit hebt es sich aus vielen anderen heraus. Von großer Wirkung ist der Wechsel zwischen den Jamben der vier ersten wie der zwei letzten Zeilen und den vier kurzen fünfsilbigen Mittelzeilen, die in der ersten Strophe wie Seufzer des Todesmatten erscheinen. Ähnlich wie hier bildet auch in David Behmes, des Schlesiers († 1657), Simeonsgesang die schöne Einheit des knappgefaßten Inhalts mit dem Versmaße — es sind lauter kurze sechssilbige trochäische Zeilen — einen der Hauptreize: „Herr, nun laß in Friede, lebenssatt und müde, deinen Diener fahren zu den Himmelsscharen, selig und im stillen, doch nach deinem Willen!" Es ist der Todesgesang eines kampfesmüden Streiters („Frieden werd ich finden, ledig sein von Sünden, und auf allen Seiten nicht mehr müssen streiten"), und eine seiner Strophen ist so recht eine Grabschrift für einen Pfarrer:

> „Hier hab ich gestritten,
> Ungemach erlitten,
> Ritterlich gekämpfet,
> Manchen Feind gedämpfet,
> Glauben auch gehalten
> Richtig mit den Alten."

Auch dieses Lied tritt mit scharfem Profil hervor.

„Es ist genug", der Eliasseufzer des Lüneburger Pastors Fr. J. Burmeister (1633—1672), des Freundes von Johann Rist, wird erst in der letzten seiner vier Strophen zum Liede des Heimgangs. Vorher ist es die sehnsüchtige Bitte eines Hartgeprüften und schwer Leidenden um Erlösung: „Lös auf das Band, das allgemach schon reißt, befreie meinen Sinn.. Wie lange, lange muß ich sehnen." Das biblische „Es ist genug" und „Ach du, Herr, wie lange"! (Pf. 6 4) klingen schmerzensvoll zusammen. Die vierte Strophe ist durch Bachs vierstimmigen Satz am Schlusse einer Kantate unsterblich gemacht. „Ich fahre sicher hin in Frieden, mein großer Jammer bleibt danieden" — wie erschütternd redet das Weh des Kreuzes noch einmal in dieser letzten Zeile mit dem chromatischen Absteigen des Basses, aber man spürt, wie es „danieden" bleibt und abfällt, und das gleiche „es ist genug", das zu Beginn der Strophe wie ein flehender Aufschrei aus heißer Pein emporstieg (man beachte die erschütternde Tonreihe a h cis dis!), schließt das Lied als ein Klang hohen Friedens.

Endlich sei an Ernst Moritz Arndts inniges, schönes Abschiedslied erinnert: „Geht nun hin und grabt mein Grab." Der Dichter der unbeugsamen, schroffen, glaubensstarken Mannhaftigkeit, der zürnen konnte, wie nur je ein Mensch zürnen kann, findet hier Töne von tiefster Zartheit: „Weinet nicht", so ruft er den Freunden zu, „Weinet nicht, mein süßes Heil, meinen Heiland hab ich funden." Wie die alten Lieder, so hat auch dieses das Motiv des „fahre wohl" und „gute Nacht" an die Welt und die Freunde bewahrt. „Darum letzte gute Nacht, Sonne, Mond und liebe Sterne, fahret wohl mit eurer Pracht."

6. Das Lied von der Ewigkeit.

Lutherisches Christentum ist in hohem Maße auf das Heimweh gestimmt. Einer der tiefsten Züge deutschen Volksgemütes durchzieht in der lutherischen Frömmigkeit das Leben der Seele mit Gott. Können wir zweifeln, daß wir hier vor dem zartesten Geheimnis des inneren Lebens stehen? Sicherlich, gerade lutherisches Christentum, wenn wir auf seinen echten Sinn sehen und seine ersten geschichtlichen Ausgestaltungen beiseite lassen, weist den Menschen in diese Welt. Wie fern ist es von dem müßigen Ausruhen der gottinnigen Seele in der Sehnsucht nach Befreiung aus ihrem Gefängnis! Nicht in weltentsagender Himmelssehnsucht dient der lutherische Christ Gott, sondern indem er, den Himmel im Herzen, in treuer Berufsarbeit seine Kräfte einsetzt, in den Furchen dieser Erde, auf der er steht. Indessen — vergessen wir es nicht — das ist doch nur die eine Seite, und sowie man sie einseitig betont (wie oft geschah das in der neueren Theologie und in der „Diesseitsfrömmigkeit" vor dem Kriege!), vergreift man sich an dem Geheimnis der Frömmigkeit. Das eben ist ihr Geheimnis, daß sie in einer mächtigen, nie ausgeglichenen Spannung zwischen zwei Polen lebt: sie dankt Gott für die Fülle der Gaben, mit denen er das diesseitige Leben schmückt, und sehnt sich doch fort aus dem „Jammertal" der Schwachheit, der Sünde, des Sterbens; sie jauchzt über die Schönheit der Welt Gottes und seufzt doch mit aller Kreatur nach der Befreiung aus eben dieser Welt der eitlen Vergänglich= keit; sie arbeitet willig, des gottgeschenkten Berufes froh und des göttlichen Wohlgefallens sicher auf dieser Erde, sie weiß, daß sie nur in solcher Arbeit sich bei Gott, im Glauben, im Gehorsam gegen seinen Willen erhält — und leidet doch unter der Unvollkommenheit der Gemeinschaft mit Gott, wie sie dieses Leibesleben mit sich bringt, und zittert vor Freude im Gedanken an den Tag, an dem die Hüllen reißen und die Bande springen; selig in Gott schon hier, ist sie doch selig nur in Hoffnung, Hoffnung aber trägt in sich die Weh= mut des „Noch — nicht". Wer will diese Spannung, die uns bei allen großen Christen entgegentritt, deren Empfindung uns durch jede gottbewußte Stunde unseres Lebens begleitet, ermessen und in Formeln bannen?

Es läßt sich nun freilich nicht leugnen, daß die alte lutherische Frömmigkeit, zumal des 17. Jahrhunderts, wie wir sie im Kirchenliede finden, nicht überall die volle Höhe der Spannung zwischen Lebensfreudigkeit und Todesfreudigkeit zeigt. Die Gegenwart erscheint

oft genug nur düster. Die Mühseligkeit dieses Lebens
im Tränental kommt im alten lutherischen Liede zu
besonders starkem und häufigem Ausdruck: „Es ist
allhie ein Jammertal, Angst, Not und Trübsal überall;
des Bleibens ist ein kleine Zeit, Mühseligkeit und,
wer's bedenkt, ein steter Streit". „Ich hab hier wenig
guter Tag, mein täglich Brot ist Müh und Klag" (Leon).
So klingt es immer wieder, schon lange vor den schweren
Kriegszeiten. Jeder neue Tag bringt neuen Kummer,
neue Sorge, „unsre Tränen sind das Brot, so wir essen
früh und spat." Es geht aus einer Not in die andre
Not. Man muß sich wohl hüten, aus diesen Bekennt=
nissen immer Rückschlüsse auf die persönlichen Erlebnisse
des Dichters zu machen. Das ist bei Männern wie
Joh. Heermann und Paul Gerhardt, die denn auch in
ihren Klagen ganz individuelle Töne finden (vgl. z. B.
„Ich bin ein Gast auf Erden"), erlaubt; im übrigen
aber kehren jene Stellen in festgeprägtem Ausdrucke,
oft nahezu gleichlautend, bei der großen Menge der
Dichter wieder, sie sind lutherisches Gemeingut. Wer
diese Gedanken an der biblischen Frömmigkeit mißt,
der wird ein Doppeltes aussetzen. Zuerst, daß das
Leben in dieser Welt mit jenen Bekenntnissen erschöpfend
beurteilt sein soll. Es handelt sich doch um das Christen=
leben, in dem Gottes Gnade und die Gemeinschaft der
Heiligen gegenwärtig und unser Beruf, Gott zu dienen,

allezeit gegeben ist. Im lutherischen Sterbeliede aber erscheint es manchmal, als sei Gottes nicht die Zeit, sondern nur die Ewigkeit, als begegne er uns mit seiner Gnade nicht in dem Gegenwärtigen, sondern nur in dem Zukünftigen. Der Altprotestantismus hat eben eine volle frohe Wertung dieses irdischen Lebens als Gelegenheit zum Dienste Gottes, zum Bau seines Reiches nicht aufgebracht. Er steht nicht ganz auf der Höhe paulinischen Abwägens zwischen Todeslust und Lebens= lust in Phil. 1. Besonders deutlich wird das an der Stellung zu dem Sterben der Kinder. Uns heute beengt bei dem Sterben jungen Lebens immer wieder das quälende Rätsel, daß Gott aus der Welt, in der man ihn findet und ihm dient, herausreißt, ehe die Reife erreicht war. Das alte Lied und die alte Predigt trösten gar schnell durch Hinweis auf das glückliche Los der Kinder, die dem Leide in der Welt und den Versuchungen dieses bösen Lebens entrückt sind. „Gott eilet mit den Seinen, läßt sie nicht lange weinen in diesem Tränental." Zweitens hängt damit zusammen, daß die Kraft des Heimwehs oft genug nicht der Glaube, das heißt die dankbare Erkenntnis der schon gegenwärtigen Gnade Gottes, sondern die Betrachtung des irdischen Leides und Jammers ist. So wird die Himmelssehnsucht nicht selten durch das menschliche Begehren nach Lust und Leidenslosigkeit getrübt. Im

Gegensatze zu dem Elend dieses Lebens stellt sich der
Dichter in leuchtenden Farben die Seligkeit vor Augen
— und nur ein Stück unter vielen ist dabei die
vollendete Gemeinschaft mit Gott, die unmittelbare Nähe
Jesu, die Freiheit von der Sünde. Damit ist aber
verdeckt, was den eigentlich bezeichnenden Unterschied
des wirklich frommen, insonderheit des biblischen
Ewigkeitsglaubens von den Jenseitsgedanken des
natürlichen Menschentums ausmacht. Solange der
Mensch noch nicht die Gemeinschaft mit Gott als das
eine, was not ist, erkannt, sein Reich der Demut,
Freude und Liebe noch nicht als das erste, dem unser
Beten und Kämpfen gehören soll, gefunden hat, so
lange wird die Zukunftshoffnung als das Gegenbild
der Eitelkeit des Irdischen, wie das natürliche Begehren sie empfindet, gezeichnet. Im Christentum ist
der Glaube selber erst Maßstab für die Erkenntnis
und Beurteilung des Erdenlebens, seiner Schatten und
Schmerzen. Während dort die Hoffnung in den Lust=
gedanken des natürlichen Menschen aufgeht, wird hier
der tiefste Schade des Lebens jenseits aller Urteile des
natürlichen Begehrens in den Hemmungen der Gemeinschaft mit Gott und mit den Brüdern erkannt,
daher sammelt sich die Hoffnung auf die Sehnsucht
nach der vollendeten Gemeinschaft mit Gott, nach der
ganzen Befreiung von der Sünde, nach der völligen

Anbetung, dem ungehemmten Dienste Gottes, und die
Überwindung des Leides wird erst von da aus verstanden und erhofft. Gewiß ist die Sehnsucht nach der
Ewigkeit auch Verlangen nach Erlösung von Not und
Jammer, herzliche Begierde, mit den vor uns Heimgegangenen Gemeinschaft zu haben. Aber vor dem
allen, über dem allen, ja in dem allen muß das der
eine große Wunsch bleiben: Gott schauen und der
lebendigen Gemeinschaft mit ihm in der Gemeinde
vollendeter Geister ohne Schranke teilhaftig sein! Jesus,
unsern Heiland schauen und ihm gleich sein dürfen
(1. Joh. 3₂)! Nur wenn dieses Begehren alles andere
trägt und reinigt, ist das Sterbensverlangen Religion.
Die Weltmüdigkeit wird erst dadurch christlich, daß sie
Gotteshunger, Jesushunger ist: „Näher mein Gott zu
dir!" „Ich habe Lust abzuscheiden und bei Christo
zu sein!" „Alsdann vom Tod erwecke mich, daß
meine Augen sehen dich in aller Freud, o Gottessohn."
In den außerchristlichen Weltanschauungen wächst mit
der Glut der Hoffnung auch die Weltmüdigkeit und
umgekehrt, im Christentum dagegen wird die Hoffnung
um so drängender, je dankbarer die gegenwärtig erlebte
Gnade Gottes erfaßt wird und umgekehrt. Die unterchristliche Hoffnung lebt aus dem Nein, sie ist das
Gegenbild der Weltmüdigkeit, die christliche Hoffnung
lebt aus dem Ja. Die im Glauben erlebte gegen-

wärtige Gnade Gottes schafft gleichzeitig Lebensfreudig=
keit und Sterbensfreudigkeit. Weil Gott uns hier seine
Güte schenkt und uns in seinen herrlichen Dienst zieht,
sind wir des Lebens froh, und weil seine Gnade uns
hier so mächtig begegnet, hängt unser Blick mit herz=
lichem Verlangen an der Stunde, in der wir ihn
vollends sehen, wie er ist. Lebenslust und Todeslust
sind im reifen Christenleben beieinander — in starker
Spannung des Lebens.

Das alte lutherische Lied hat nicht immer die Höhe
neutestamentlicher Frömmigkeit, wie sie grundsätzlich
gerade im Luthertum mit einzigartiger Klarheit vor-
liegt, innegehalten. Nicht nur die schweren Zeiten, in
denen das Auge überall furchtbares Düster in dieser
Welt sah, waren schuld daran; es setzte sich hier viel=
mehr eine Stimmung fort, deren Heimat allem Anschein
nach die Mystik des ausgehenden Mittelalters war.
Die Töne der lutherischen Lieder sind daher für uns
nicht mehr durchweg vorbildlich. Wir empfinden nicht
jede Strophe mit voller innerer Wahrhaftigkeit mit.
Unser Leben mit Gott sprengt oft das Gewand der
alten Gesänge. Uns fehlt die Aussprache der Freude
an der gegenwärtigen Gemeinschaft mit Gott und an
seinem Dienste, an dem Kommen seines Reiches daheim
und draußen, an der reichen Arbeit, in die er seine
Knechte ruft, — wobei freilich nicht vergessen werden

soll, daß die lutherische Kirche neben ihren Sterbeliedern die gegenwartsfrohen Glaubens= und Jesuslieder hat. In jedem Falle wird die vollständige Offenheit in der Erkenntnis und Feststellung unseres Abstandes von den Vätern die Freude an ihren Ewigkeitsliedern wahrhaftig machen und dadurch vertiefen.

Endlich läßt sich ein anderes nicht verschweigen. Die Ewigkeitshoffnung des Neuen Testaments ist in gleicher Stärke Hoffnung auf die Vollendung des Reiches Gottes wie Sehnsucht nach der persönlichen Befreiung des einzelnen zur völligen Gemeinschaft mit Gott, sozial und individualistisch zugleich. Luther und die Väter des 16. Jahrhunderts halten hier die biblische Linie ein, wie der letzte Abschnitt unseres Büchleins noch zeigen wird. Aber im lutherischen Liede des 17. Jahrhunderts tritt der Gedanke an die Zukunft der Herrschaft Gottes stark zurück, soweit nicht der Einfluß des Hochzeitsgleichnisses von den zehn Jungfrauen ganz von selber den Blick auf die Vollendung der Kirche richtet. Zwar weiß man, daß der Himmel der Ort aller Seligen ist, aber die Hoffnung bleibt im Grunde individualistisch. Erst der Pietismus, und zwar vor allem der Missionspietismus des 19. Jahrhunderts, brachte hier eine Wandlung. Er gab uns das Missionslied und führte die Christenhoffnung zu ihrer neutestamentlichen Weite zurück, die uns gerade heute, im Streite der Völker, Herzensanliegen ist. — —

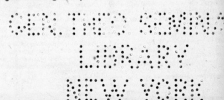

Die Ewigkeit ragte in jede Stunde jenes Geschlechts, das die Not des großen Krieges sah, hinein. Aber auch längst vorher war das Lied von der Ewigkeit erklungen. Es ist im Grunde selbstverständlich, daß gerade die spätmittelalterliche Mystik die Betrachtung des Himmlischen, der ewigen Freude bei Gott pflegte. Aus ihren Kreisen sind uns, unter dem Namen des Thomas von Kempen, lateinische Lieder über die „himmlischen Freuden" im Stile andächtiger Betrachtungen, wie sie uns ebenfalls vorliegen, überliefert. Die Engel werden immer wieder geschildert, auch wohl direkt angeredet. Auch in deutscher Sprache erklang schon damals das Ewigkeitslied. Aus dem 15. Jahrhundert besitzen wir das Heimwehlied des Freiburger Priesters Heinrich von Laufenberg: „Ich wollt, daß ich daheime wär' und aller Welt Trost hätt' nicht mehr, ich mein daheim im Himmelreich, da ich Gott schaue ewiglich." Die edelsten Töne der deutschen Mystik ziehen durch diesen Gesang Laufenbergs.

> „Denn alle Welt ist dir zu klein
> Du kommest denn erst wieder heim."
> „Daheim ist Leben ohne Tod
> Und ganze Freud ohn alle Not."
> „Da ist Gesundheit ohne Weh
> Und währet heut und je und je."

Noch viel schöner ist ein anderes seiner Ewigkeitslieder: „Ich weiß ein lieblich Engelspiel, da ist all's Leid

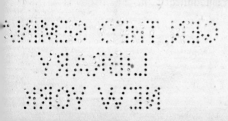

zergangen; im Himmelreich ist Freude viel ohn Endes=
ziel, dahin soll uns verlangen." Vielleicht ist das
schönste an diesem Gedicht die liebliche Melodie; wie
Engelgesang klingt sie, man kann sie ganz nur würdigen,
wenn sie von Kinderstimmen gesungen wird. Ein auf=
merksamer Beobachter wird in dem Texte der beiden
Lieder das Katholische nicht übersehen: die Buße, das
reuevolle Gebet zu Gott steht mehr im Vordergrunde
als die klare Heilsgewißheit. — Alter noch als Laufenberg ist das Weihnachtslied „In dulci jubilo", „Nun
singet und seid froh!", dessen letzte Verse ihren Preis
der „ewgen Himmelsfreud", des „Freudenortes" aus=
gehen lassen in den innigen Wunsch: „Eia, wär'n
wir da!"

Auf evangelischem Boden hat Johann Walther,
Luthers verständnisvoller Kantor in Torgau, uns ein
frisches, frohes Ewigkeitslied gegeben: „Herzlich tut
mich erfreuen die liebe Sommerzeit, wann Gott wird
schön verneuen alles zur Ewigkeit." Heute ist das
Lied in seiner Urgestalt nicht mehr im Gebrauche der
Gemeinde, schon wegen seiner unsangbaren Länge. Aus
den 34 Strophen ist aber ein siebenstrophiger Gesang
zusammengestellt, den das Hannoversche Gesangbuch
bietet: „Der Bräutgam wird bald rufen." Und doch
lernt man den Dichter erst in dem ungekürzten Liede
ganz kennen und lieben. Während die späteren Lieder

in Gedankenschatz und Bildern sich vielfach wiederholen,
singt Walther seinen eigenen herzlichen, hellen Ton.
Deutlich erinnert er an die gemütvolle Art und bilder=
frohe Frische Luthers in seinen Predigten. Wie jauchzt
der Gesang dem ewigen Sommer Gottes, der unaus=
sagbaren Schönheit der neuen Welt, dem Herrn Christ,
den Engeln, der Hochzeit, dem Paradiese, dem Schauen
Gottes entgegen! Alles ist recht kindlich=breit gemalt
und doch von wunderbarer Tiefe, voll staunenden Sinnens,
voll hellen Jubels. Die herzliche Freude, aus der der
Dichter singt, nimmt ganz hin. Hätte ich mehr Raum,
ich möchte das ganze Lied hierhersetzen oder doch die
vielen Kleinodien seiner Strophen leuchten lassen. Welche
Freude auf die ewige Schönheit:

> „Also wird Gott neu machen
> Alles so wonniglich,
> Für Schönheit soll's gar lachen
> Und alles freuen sich."

> „Kein Zung' kann nicht erreichen
> Die ewig Zierheit groß,
> Man kann's mit nichts vergleichen,
> Die Wort sind viel zu bloß."

In einer andern Strophe bricht die Freude des
liedesmächtigen Kantors auf die wundervolle himmlische
Musik persönlich genug hervor:

> „Da wird man hören klingen
> Das rechte Saitenspiel,
> Die Musikkunst wird bringen
> In Gott der Freuden viel."

Kindlich=farbig malt Walther es aus, wie Gott die Braut, die Christus ihm zugeführt hat (Psalm 45), neu kleidet „von seinem eigen Schmuck"; wie wir mit Gott „das ewig Abendmahl" halten: „die Speis' wird nicht veralten auf Gottes Tisch und Saal." Bei alledem bleibt der tiefste und herzlichste Ton doch immer das, was er von der vollendeten Gemeinschaft mit Gott zu singen weiß:

> „Gott wird sich zu uns kehren,
> Ein'm jeden setzen auf
> Ein güldne Kron der Ehren
> Und herzen freundlich drauf.
> Wird uns an sein' Brust drücken
> Aus Lieb ganz väterlich,
> An Leib und Seel uns schmücken
> Mit Gaben mildiglich."

> „Also wird Gott erfüllen
> Alles durch seine Kraft,
> Wird alles sein in allen
> Durch seinen Geist und Saft,
> Wird sich selbst ganz zu eigen
> Uns geben völliglich
> Und all sein Gut uns zeigen
> In Christo sichtiglich."

Ein solches Lied kann um seiner ganzen Art willen mehr mit Freude genossen und erhoben als heute nach=gesungen werden. Unter den Ewigkeitsgesängen, die auch heute im Munde der Gemeinde leben, gebührt die

Krone den Liedern der drei Zeitgenossen Joh. Matthäus
Meyfart (1590—1642) und der etwas jüngeren Simon
Dach und Paul Gerhardt. Sie sind insgesamt in der
Zeit des großen Krieges entstanden. Voran stehe
„Jerusalem, du hochgebaute Stadt". Wie oft ist das
Lob dieses Liedes gesungen, wie oft hat man seine
Melodie gefeiert: in den mächtigen Schritten des Grund=
akkordes steigen die erste und vierte Zeile abwärts,
als wenn der Himmel sich zur Erde senkte, und be=
wegen sich dann in Tönen der Sehnsucht langsam auf=
wärts. Das ganze Lied ist ein Hymnus, von der
großen Feierstimmung der Ewigkeit durchweht. Welch
ein wundervolles Ineinander von Majestät und Innig=
keit! Wir erleben eine Geschichte mit, den Weg der
Seele in die Ewigkeit. Von Strophe zu Strophe
steigert sich der Gesang. Was ist schöner darin, der
herrliche Ausdruck der Sehnsucht nach Jerusalem oder
die vollendete Weihe in den Worten vom Sterben,
vom Wege der Seele, „wenn sie verläßt so sanft, so
wunderlich die Stätt' der Element" (Strophe 2 und 3),
oder die ergreifende Majestät in der Schilderung, nein,
in dem unmittelbaren Erleben des Einzugs der Seele
in die Ewigkeit? „Was für ein Volk, was für ein
edle Schar kommt dort gezogen schon?" Man muß
dieses Lied mit den Ewigkeitsbildern anderer Gesänge
vergleichen; man merkt dann zwar, daß der Gedanken=

gehalt des Hymnus lutherisches Gemeingut biblischen
Ursprungs ist, aber der Abstand wird gerade darum
desto überwältigender deutlich. Nur ein Kirchenlied von
der Ewigkeit verdient, im Zusammenhange mit seiner
Melodie fast noch über die „hochgebaute Stadt" gestellt
zu werden: „Wachet auf, ruft uns die Stimme" —
wir betrachten es erst im letzten Abschnitte.

Neben „Jerusalem" nennen wir Simon Dachs
„O wie selig seid ihr doch, ihr Frommen", 1635 ge-
dichtet. Hier erhebt sich aus dem immer wechselnden
Erwägen des irdischen Herzeleides und des seligen
Lebens der Frommen, denen Christus die Tränen ab-
wischt, die schon haben, wonach wir uns erst sehnen,
zuerst der Ausruf der Sterbensbereitschaft: „Ach, wer
wollte denn nicht gerne sterben" und dann das Gebet
der Schlußstrophe: „Komm, o Christe, komm uns aus-
zuspannen, lös uns auf und führ uns bald von dannen!"
Auch dieses Liedes Gewalt wird erst erkannt, wenn es
in den Tönen seiner rhythmisch sehr wirksamen, am
Schlusse mächtig aufwärtssteigenden Melodie erklingt.

Von ganz anderer Art als die beiden genannten
Lieder ist Paul Gerhardts Pilgergesang: „Ich bin ein
Gast auf Erden." Er gehört nicht zu Gerhardts größten
Dichtungen. In seiner reflektierenden Art ist er eher
zum Lesen und Beten als zum Singen geschaffen. Und
doch kann man seine Schönheit nicht übersehen, die

schon in der erften Strophe — könnte fie nicht ein
geschlossenes Lied für sich sein? — ausströmt, die über
der innigen Stimme des Heimwehs zart ausgebreitet
liegt („die Welt bin ich durchgangen, daß ich's fast
müde bin", „Ach komm, mein Gott, und löse mein Herz,
wenn dein Herz will"), die aus den letzten Strophen,
der Schilderung des Himmels, herrlich hervorstrahlt:
„Du aber, meine Freude, du meines Lebens Licht, du
ziehst mich, wenn ich scheide, hin vor dein Angesicht ins
Haus der ewgen Wonne." Ja, auch die etwas lange
Betrachtung über das irdische Kreuz und die Leiden
der „lieben Alten" — unsere Gesangbücher bringen sie
nur zum Teil — weist sich durch ihre Nüchternheit als
echt aus. Dieses Lied gehört zu den seelsorgerlichsten
unter den Sterbe= und Ewigkeitsliedern und hat bis
heute seine Segensgeschichte. Der Dichter der Trost-
lieder tröstet andere, indem er sich selber Trost zuspricht.

Paul Gerhardt hat aber von der seligen Ewigkeit
in noch volleren Tönen zu singen vermocht. Von besonderer Innigkeit ist die Vorfreude in dem Liede „Die
Zeit ist nunmehr nah":

> „Ach! was wird doch dein Wort,
> O süßer Seelenhort,
> Was wird doch sein dein Sprechen,
> Wenn dein Herz aus wird brechen
> Zu mir und meinen Brüdern
> Als deines Leibes Gliedern?"

„Dein' Augen, deinen Mund,
Den Leib, der noch verwundt,
Da wir so fest auf trauen,
Das werd ich alles schauen,
Auch innig, herzlich grüßen
Die Mal an Händ und Füßen."

Aber eine gewisse Leichtigkeit und Wortfülle ist in
diesem Gesange wie in anderen Liedern Gerhardts unverkennbar. Höher wird man darum jene Strophen
stellen, in denen am Schlusse von Kreuz- und Trost-
liedern der Kreuzträger, oft mit knappen Worten, tief
aufatmend die Ewigkeit grüßt. Nirgends hat Paul
Gerhardt gewaltiger und schöner von Gottes Tage
geredet als in den beiden schlichten Schlußstrophen von
„Gib dich zufrieden". —

Neben den Liedern dieser drei Großen hat die
lutherische Kirche noch manchen wertvollen Ewigkeits-
gesang hervorgebracht. Zuerst sei das im Dreißigjährigen Kriege gesungene „Welt ade, ich bin dein
müde, ich will nach dem Himmel zu" genannt. Es
hat viele Schönheiten. Jede Strophe ist durch die
Entgegensetzung irdischer Not und himmlischen Friedens
bestimmt; unter dem Nachsinnen über diesen mächtigen
Gegensatz wird die Sehnsucht des Dichters immer un-
aufhaltsamer. Heißt es erst einfach in Wunschform
„O wer nur dahin gelanget, wo jetzund der schöne
Chor in vergüld'ten Kronen pranget", so setzt die

nächste Strophe ein mit der sehnsüchtigen, ungeduldigen Frage: „Zeit, wann wirst du doch anbrechen? Stunden, o wann schlaget ihr, drinnen ich mich kann besprechen mit dem Schönsten für und für?" — ähnlich wie in „Jerusalem, du hochgebaute Stadt". Die nahezu gleich- lautenden Kehrrreime mit der Gegenüberstellung von Welt und Himmel geben dem Gesange im ganzen starke Wucht. Das spürt man vollends, wenn das Lied in Rosenmüllers wundervoller Melodie erklingt. Wie strahlt nach den strengen, herben Tönen der Weltangst dann Friede, Freude, Ruhe, Seligkeit des Himmels tröstend auf! — In vielem verwandt ist Rosenmüllers schönes Lied „Alle Menschen müssen sterben". Als ein durch Jahrhunderte bewährter Begräbnisgesang hat es seine ehrwürdige Geschichte. Es verdient seine Stellung durch den schlichten, freudigen Ton lutherischer Heilsgewißheit, durch die klare Schönheit seines Himmelsbildes. Herr- lich erhebt sich der Schluß: „O Jerusalem, du schöne, ach wie helle glänzest du," „Ach, ich habe schon erblicket alle diese Herrlichkeit." — Über die matte Parallel- dichtung zu Rists Liede von der furchtbaren Ewigkeit, „O Ewigkeit, du Freudenwort" von Kaspar Heunisch, dürfen wir schnell hinweggehen; sie ist weder ihrem Vor- und Gegenbilde noch der gewaltigen Weise irgend- wie gewachsen, wie es denn überhaupt kein glücklicher Gedanke war, neben Rists Gesang einen ähnlich ge-

bauten und im Ausdruck von ihm abhängigen als
Ergänzung zu stellen. Noch weniger Bedeutung hat
Johann Olearius', des Vieldichtenden, schnell und leicht
gereimtes „Lobe, mein Herz, deinen Gott". Wer die
großen biblischen Worte (Gerechtigkeit, Gnade, Trost,
Heiligkeit, Seligkeit, Leben, Fried, Freud, Ehr, Herrlich=
keit) so häuft und so viel auf einmal sagt, der sagt
eben darum gar nichts mehr.

Auch im 18. Jahrhundert hat man das Lied von
der seligen Ewigkeit und den Ton des Heimwehs
gepflegt. Benjamin Schmolcks „O wie fröhlich, o wie
selig werden wir im Himmel sein", Kunths „Es ist
noch eine Ruh vorhanden" (nach Hebr. 4 9) und Klop=
stocks „Wie wird mir dann, ach dann mir sein" zeugen
neben anderen unbedeutenderen davon. Aber alle drei
Lieder bleiben trotz mancher Schönheit ihrer beredten
Strophen hinter den großen Ewigkeitsgesängen des
Dreißigjährigen Krieges weit zurück. Gewiß gehört
Schmolcks Lied zu seinen besseren Leistungen und ver=
mag durch das Pathos seiner Sehnsuchtsrufe die Ge=
meinde auch heute zu gewinnen: „Ach wer sollte sich
nicht sehnen, bald in Zion dort zu sein," „Ach, wann
werd ich dahin kommen, daß ich Gottes Antlitz schau."
Aber die Beredsamkeit seiner Hoffnung ist zu wortreich
und rhetorisch, nicht schlicht und nicht echt genug —
wie man gerade auch über die so schön einsetzende, an

Pfalm 42 anklingende Strophe 7 urteilen muß. —
Allendorfs echt pietiſtiſche Strophen „Unter Lilien
jener Freuden" mit ihrer von hinnen eilenden Jeſus=
frömmigkeit ſind vielleicht urſprünglich nicht ſo weich
gedacht wie die wohllautende, ſehnſüchtige Melodie der
Miſſionsharfe ſie erſcheinen läßt und bieten viel Schönes,
etwa die Stelle:

> „O wie bald kannſt du es machen,
> Daß mit Lachen
> Unſer Mund erfüllet ſei.
> Du kannſt durch des Todes Türen
> Träumend führen
> Und machſt uns auf einmal frei."

Unter vielen anderen Heimwehliedern hebt ſich weit
heraus das ans Herz greifende, zarte Lied des Sängers,
der die prächtige Stadt mit den hellen, goldnen Gaſſen
geſchaut hat: „Ich hab von ferne, Herr, deinen Thron
erblickt." Es findet ſich in einem ſonſt völlig vergeſſenen
Romane von J. T. Hermes 1770. Von 1812 an hat
es ſchnell die Geſangbücher erobert, auch Hofackers und
Vilmars gewichtiges Urteil für ſich gewonnen. Ein
wirkliches Kleinod, von klaſſiſcher Schlichtheit und edler
Gebundenheit der Form, und doch atmend von tiefem
Verlangen, in ergreifender Bewegung; von heller Klar=
heit und doch in dem Tone „wie die Träumenden",
Unausſprechliches nur andeutend; weich in der Sehn=
ſucht „müden Lebens" nach Gottes Thron und Stadt,

ernſt und männlich in Bekenntnis und Gelübde: „Ich
bin noch nicht genug gereinigt", „Ich will mich noch
im Leiden üben" — bei alledem knapp und gehalten
in Wort und Bild, eine wunderſame Welt für ſich. —
Nicht unwert, daneben genannt zu werden, iſt Matthias
Claudius' Schlußſtrophe aus der kleinen Dichtung, „als
der Sohn unſeres Kronprinzen, gleich nach der Geburt,
geſtorben war." Aus der Klage über die Gebrechlich=
keit, das Scheinweſen, die Dunkelheit und Leere alles
Irdiſchen („wo wir hin aufs Ungewiſſe wandeln und
in Nacht und Nebel gehn, nur nach Wahn und Schein
und Täuſchung handeln und das Licht nicht ſehn"),
ſteigt mit einer bei Claudius nicht häufigen Größe des
Ausdrucks der Ruf der Sehnſucht empor:

„O du Land des Weſens und der Wahrheit,
Unvergänglich für und für!
Mich verlangt nach dir und deiner Klarheit,
Mich verlangt nach dir."

In der Erweckungszeit des 19. Jahrhunderts endlich
gab uns Knak das Lied mächtigen, drängenden Jeſus=
verlangens: „Laßt mich gehn, daß ich Jeſum möge ſehn!"
Wie manchem Kinde iſt an der herrlichen Bildſprache
dieſer Strophen zum erſten Male das Geheimnis der
Hoffnung, deren wir warten, ſehnſuchtweckend in Gemüt
und Phantaſie geſenkt: „Wie wird's ſein, wie wird's
ſein, wenn ich zieh in Salem ein, in die Stadt der

goldnen Gassen! Herr mein Gott, ich kann's nicht fassen, was das wird für Wonne sein!"

In diesem Liede tritt in rechter Reinheit hervor, daß alles christliche Ewigkeitsverlangen im Grunde herzliches Begehren nach Jesus ist, nach dem Herrn, den wir, ohne ihn zu sehen, mit der heißen Liebe des Glaubens umfassen, weil wir sein sind: „Meine Seel ist voll Verlangen, ihn auf ewig zu umfangen, und vor seinem Thron zu stehn." Der Urlaut echter Religion „Ach, wann werde ich dahin kommen, daß ich Gottes Angesicht schaue!" klingt als der Grundton der Himmelssehnsucht durch, wie denn die zweite Strophe nach Psalm 42 gebildet ist. Ähnlich bittet ein kleines, feines Lied aus dem 16. Jahrhundert:

> „Und wenn die Stund vorhanden ist,
> Nimm mich zu dir, Herr Jesu Christ,
> Denn ich bin dein, und du bist mein,
> Wie gern wollt ich bald bei dir sein!"

So könnte man auf noch manches Lied weisen. Zumal in den Jesusliedern wird es immer wieder deutlich ausgesprochen, daß das ewige Leben nichts anderes ist als: Jesus mit Augen sehen. „Was wird das sein, wenn ich dich seh und bald vor deinem Throne steh!" (Neander).

Die christliche Hoffnung ist nicht ein Zusatz zu dem christlichen Glauben, sondern der Glaube ist allezeit auch Hoffnung. Daher bleiben die Ewigkeitsgedanken des lutherischen Liedes nicht auf die Sterbe= und Ewigkeits=

gesänge begrenzt. Wie die fromme Volkssitte uns nicht
nur gegen Ende des Kirchenjahres, sondern auch im
Advent, am heiligen Abend, zu Ostern, Pfingsten und
sonst auf die Friedhöfe führt, wie jedes Vaterunser
unseren Blick verlangend zu dem Himmel, da Gottes
Wille ganz geschieht, erhebt, und uns um Erlösung aus
einer Welt des Übels bitten heißt, so gehen Sterbens-
gedanken und Heimwehklänge und Ewigkeitsglocken
auch durch die Festgesänge und Loblieder und Trost-
lieder und Abendgebete. Zu Weihnachten jubelt das
alte Lied: „Heut' schleußt er wieder auf die Tür zum
schönen Paradeis, der Cherub steht nicht mehr dafür,
Gott sei Lob, Ehr und Preis!", und die Sehnsucht
nach dem Freudenort, den das Kindlein uns eröffnet
hat, bricht durch alles klingende Jauchzen durch: „Eia,
wär'n wir da!" Karfreitag führt in unsere Sterbestunde, und Ostern triumphiert über unsern Gräbern:
„Wir wollen hier ganz fröhlich mit dir zu Grabe gehn,
wenn wir nur dorten selig mit dir auch auferstehn."
Zu Himmelfahrt mischt sich in die Freude an der
Majestät unseres erhöhten Königs die bewegte Bitte:
„Zeuch uns nach dir!" — und Pfingsten preist den
Geist, der durch die letzte Anfechtung hindurchsiegen hilft.
Am Abendmahlstage läßt der Herr, der uns zu Gästen
seines Tisches macht, seine und unsere Gedanken auf
das eine ewige Mahl gehen, das er mit uns ißt und

8*

trinkt in des Vaters Reich. Gottes Lob können wir
nicht singen, Sonntag können wir nicht feiern, ohne die
irdische Unzulänglichkeit unseres Dankens tief zu empfinden und zu geloben: „im Himmel soll es besser
werden, wenn ich wie deine Engel bin." Jeder rechte
Gottesdienst schenkt auf seiner Höhe jenen Ausblick auf
das Licht des ewigen Sabbaths, von dem Klopstocks
erhabene Vorbereitung zum Gottesdienste: „Zeige dich
uns ohne Hülle" so mächtig singt. Alles Trösten der
Gegenwart hat seine letzte Kraft darin, daß einst der
ewige Mund selber spricht: „Gib dich zufrieden," und
der Schein der Klarheit Gottes, der uns hier in
dunkeln Stunden erquickt (Gottfried Arnold), ist doch
nichts anderes als das Leuchten durch die Fenster des
ewigen Vaterhauses. Die Morgensonne wird Gleichnis
des „Morgenglanzes der Ewigkeit", der uns in „jene
Welt" leuchtet, Abenddunkel und Abendruhe stimmen
das Herz zum Gedenken an den großen Feierabend.
Das „hohe Lied vom Leiden" („Endlich bricht der
heiße Tiegel", von dem Württemberger K. Fr. Hartt-
mann, 1743—1815) verkündet als schönstes Geheimnis
des Christenleidens:

> „Leiden stimmt des Herzens Saiten,
> Für den Psalm der Ewigkeiten,"

und tröstet zuletzt mit jenem tief aufatmenden, köstlichen,
hoffnungsschweren „Endlich . . .!":

> „Endlich mit der Seufzer Fülle
> Bricht der Geist durch jede Hülle
> Und der Vorhang reißt entzwei.
> Wer ermisset denn hienieden,
> Welch ein Meer von Gottesfrieden
> Droben ihm bereitet sei?"

So klingt, wo nur in einem Liede der Orgelton evan=
gelischen Glaubens in ganzer Fülle laut wird, die
vox celestis von selbst mit.

Die Schönheit dieser Welt, die Pracht der Natur,
der Farben, die Lieblichkeit der Tierwelt — alles
wird zu einem andeutenden Gleichnis der ewigen
Herrlichkeit. Allerdings ist diese, bei Paul Gerhardt
wundervoll zutage tretende Stimmung wenigstens im
17. Jahrhundert keineswegs Gemeingut des alten
Luthertums, Paul Gerhardts Größe besteht vielmehr
darin, daß er über die Stimmung seiner Zeit hinaus,
die dieses Erdenleben gern in recht dunklen Farben
zeichnet und die Ewigkeit nur als vollendeten Gegensatz
gegen diese Welt erfaßt, zu Luthers tiefen, gemütvollen
Gedanken zurückgreift, aber es ist doch wesentlich, die
Gedanken Gerhardts nicht zu übersehen in dem Gesamt=
bilde des Luthertums jener Tage. Sie zeigen, daß das
Luthertum grundsätzlich auf das Erfassen der tiefen
Spannung zwischen Lebensfreude und Sterbensfreude
angelegt ist.

Gewiß bleibt immerdar für christliches Empfinden
der Gegensatz zwischen der Welt der Sünde und des

Leides und dem ewigen Leben schroff. Aber zugleich
ahnt der Glaube doch das ewige Leben als die höchste
Steigerung aller Freude, alles Schönen, das Gottes
Güte schon auf dieser Erde bietet. Neben die „ver-
neinende" Theologie tritt auch hier die Theologie der
Steigerung. „Schenkst du schon so viel auf Erden,
wo des Jammers Wohnhaus ist, — ei, was will's
im Himmel werden, wo man dich erst recht genießt."
Daher darf der Glaube in Bildern reden, die dem
Leben dieser Zeit entnommen sind. Das Bild ist gewiß
nur ein Symbol, aber es würde unmöglich sein, Bilder
für das Ewige zu geben, wenn nicht Lust und Schönheit und das Edle dieser Erde vordeutende Strahlen
der ewigen Herrlichkeit wären. Je herrlicher die Strahlen
selber schon sind, desto überwältigender muß der wahr-
haftige Glanz Gottes sein.

> „Ach, denk ich, bist du hier so schön
> Und läßt du uns so lieblich gehn
> Auf dieser armen Erden,
> Was will doch wohl nach dieser Welt
> Dort in dem reichen Himmelszelt
> Und güldnen Schlosse werden?"

> „Welch hohe Lust, welch heller Schein
> Wird wohl in Christi Garten sein?
> Wie muß es da wohl klingen,
> Da so viel tausend Seraphim
> Mit eingestimmtem Mund und Stimm
> Ihr Halleluja singen?"

Mitten in der kindlichen Freude an der „lieben Sommer=
zeit" bricht das Heimweh nach der Ewigkeit hervor,
die hellen Augen Paul Gerhardts, die sich an Bäumen
und Bächen, Wild und Wald heiter freuen, werden
sinnend. Heimweh inmitten aller Erdenfreude — das
ist lutherisches Christentum. In wundervoller Schlicht=
heit spricht Spitta aus, was dem Frommen immer
wieder bei der Schönheit der Natur durch die Seele
zieht: „Wenn am Schemel seiner Füße und am Thron
schon solcher Schein, o, was muß an seinem Herzen
erst für Glanz und Wonne sein!"

Das letzte Wort von der Ewigkeit bleibt freilich,
auch in manchem Liede, jenes alte: „Was kein Auge
gesehen . . ." (1. Kor. 2). Alles Reden ist ein Stammeln
und das Herrlichste auf Erden nur wie ein Schatten
des Künftigen. Und doch hat es tiefe Wahrheit, wenn
uns die wundersame Erneuerung der Natur im Früh=
ling Gleichnis und Verheißung der neuen Welt wird;
wenn die Lieder so froh singen vom Sommer, der da
kommt, wie z. B. Joh. Walther: „Es wird gar bald
aussprießen die ewig Sommerblüt, das ewig Jahr her=
fließen;" oder wenn Uhland in der Lenzesherrlichkeit
den „künftigen Frühling", den „großen klaren", ver=
kündet: „Du ahnest ihn hienieden, und droben bricht
er an." — Nennt die Schrift die Menschen Gottes
„Fremdlinge und Pilgrime", so wird dem deutschen

Liebe die Welt zum „Elende", d. h. zur Fremde, und das Sterben zum Heimgehen. Die ganze Süßigkeit des Heimkommens, wie jeder sie immer wieder erlebt, gibt einen Vorschmack der Seligkeit des „Heimgangs" ins „rechte Vaterland", die „Heimat droben": „Es wird nicht lang mehr währen, so kommen wir nach Haus."

Gilt es, die im Glauben geahnte Herrlichkeit des ewigen Lebens wirklich zu malen, dann stehen in den Liedern die mächtigen biblischen Bilder, zumal aus der Offenbarung des Johannes, im Vordergrunde: das himmlische Jerusalem, die herrliche Stadt mit den Perlentoren und den güldnen Gassen; das Abendmahl; die Patriarchen und Propheten, die Sieger, die über= wunden haben, in weißen Kleidern, mit Palmen in den Händen und Lobgesängen auf den Lippen, die „lieben Engelein", die mit Gott im hohen Himmelssaale auf uns warten und uns annehmen werden „als ihre Brüderlein"; das Paradies, der Garten Gottes, wie Luther ihn in dem Briefe an Hänschen so kindlich zeichnet, wie er in dem ergreifenden alten Todesliede „Es ist ein Schnitter, heißt der Tod" begegnet: „Werd ich verletzet, so werd ich versetzet in den himmlischen Garten. Freu dich, du schön's Blümelein," und in Paul Gerhardts Lied von der güldenen Sonne weiterlebt:

„Kreuz und Elende
Das nimmt ein Ende;
Nach Meeres Brausen
Und Windes Sausen
Leuchtet der Sonne gewünschtes Gesicht.
Freude die Fülle
Und seliger Stille
Hab ich zu warten
Im himmlischen Garten;
Dahin sind meine Gedanken gericht't."

Will die Phantasie sich den Garten Gottes im einzelnen
ausmalen, so entlehnt sie ihre Farben der Offenbarung
und dem Hohenliede. Aber sie geht auch eigene Wege.
Im pietistischen Zeitalter tritt dann die Lieblingsgestalt
jenes Geschlechtes, das himmlische Lamm aus dem letzten
Buche der Bibel, in den Vordergrund. Vollends gewinnen die Bilder der Hochzeit, des Bräutigams und
der Braut verstärkte Bedeutung. Diese Bilder waren
freilich schon wegen Matth. 25 und Psalm 45 den Ewigkeitsgedanken auch des ursprünglichen Luthertums nicht
fremd und wegen Ephes. 5 32 für das Verhältnis zwischen
Christus und der Gemeinde allezeit üblich; aber seit
der Zeit Philipp Nicolais bereits zieht mit den Tönen
mittelalterlicher Mystik eine ganz neue Stimmung, ein
ganz neues Verständnis des alten Bildes ein: das
Hohelied wirkt lebhaft ein, die Bilder des Bräutigams
und der Braut werden auf die Gemeinschaft zwischen

Jesus und der einzelnen Seele angewandt — und damit kommt auch in den Ausdruck der christlichen Hoffnung jene Weichheit, jener Individualismus, jene Liebessprache, die wir heute nicht mehr mit voller Freude hören und singen.

7. Der jüngste Tag.

Die Ewigkeitshoffnung des Christen weckt niemals nur das Heimweh. Das Wort „Ewigkeit" schließt den Gedanken an die Wiederkunft des Herrn, an das Gericht und die Entscheidung über unser ewiges Schicksal ein. Diesen „letzten Dingen" gilt eine besondere Gruppe der Lieder.

Das alte Luthertum wurde von der Erwartung des jüngsten Tages stark bewegt. Der Herr wird bald kommen — das hatte Luther gepredigt, das klang in seiner Kirche weiter. Im Stil der Predigten gibt manches Lied des 16. Jahrhunderts eine düstere Schilderung der Zeit: die biblischen Vorzeichen des letzten Tages sind erfüllt, Glaube und Liebe sind erkaltet, Bosheit, Gewalt und Tücke nehmen überhand, Satan und Widerchrist wüten wie nie zuvor, die Welt ist reif zum Gericht; große Wunderzeichen, „viel Mißgeburt, gräßlich Gestalt der Menschen und Tier mannigfalt", dazu der große Komet von 1577 machen gewiß, daß das Ende nicht fern sein kann. Die Axt ist den Bäumen an die Wurzel gelegt. Ja, die Reformation selber, das Ausgehen des göttlichen Wortes in alle

Welt, kündet die Nähe des letzten Tages. Das Evan=
gelium wird geradezu als die „letzte Posaune" ver=
standen. Von Erasmus Alberus und Nikolaus Herman
haben wir die wertvollsten Dichtungen dieser Art. Jener
singt in dem Liede „Ihr lieben Christen, freut euch
nun": „Die Welt kann nun nicht länger stehn, ist
schwach und alt, sie muß vergehn, sie kracht an allen
Orten sehr und kann die Last nicht tragen mehr."
Bei Hermann („Freut euch, ihr Christen alle gleich")
klingt es ähnlich: „Fur Angst die Erd erschüttet sich,
und zittert oft erbärmiglich, es kracht und knacket alls
zugleich, wenig Fried ist im heilgen Reich." „Die Welt
ist nu gar worden alt, ihr Wärm ist hin, sie ist ver=
kalt, sie hat verloren Saft und Kraft: das End gewiß
herbei sich macht."

Das Ende bedeutet Gericht und Erlösung. Daher
geht durch die Lieder Bangen und Frohlocken zugleich.
Bald rufen sie zum Aufwachen, zum letzten Ernste, zur
Buße: seid bereit!, und bitten demütig um Bußfertig=
keit und Rettung, wenn Christus sein Gericht über die
Welt halten wird; bald flehen sie vielmehr um den
Hereinbruch des Gerichtes, daß der Herr ein Ende der
Bosheit und der Not mache, seine Feinde zertrete, sein
„Häuflein klein" rette, oder sie jubeln vor Freude auf
den nahen „lieben jüngsten Tag", der die völlige Er=
lösung bringt und aus dem Schrecken vor Sünde und

Tod, die wir hier nie los werden, in die Ruhe Gottes
führt: Hebet eure Häupter auf, darum daß sich eure
Erlösung naht. In alledem lebt der Geist der Zukunfts-
reden Jesu: der ganze schwere Ernst und die ganze
hohe Freude. In den Liedern von Erasmus Alberus
und Nikolaus Herman kommen die Töne der Sehnsucht
„Komm Herr Jesu" und der Freude „Er kommt bald"
besonders schön heraus.

> „Der jüngste Tag ist nun nicht ferr,
> Kum, Jesu Christe, lieber Herr!
> Kein Tag vergeht, wir warten dein
> Und wollten gern bald bei dir sein."

> „Eil, lieber Herr, eil zum Gericht!
> Laß sehn dein herrlich Angesicht,
> Das Wesen der Dreifaltigkeit!
> Des helf uns Gott in Ewigkeit."

So betet Alberus. Und Herman ähnlich:

> „Dein Zukunft, Herr, wir warten all
> Horchen auf der Posaunen Schall.
> Komm, lieber Herr Christ, machs nit lang,
> Hilf deiner Kirch, denn ihr ist bang."

> „Und führ sie in die ewige Ruh,
> Die du ihr hast bereitet zu
> Dort oben in deins Vaters Reich
> Da sie wird sein dein Engeln gleich."

Die letzten Verse zeigen, daß unsere Väter nicht nur
für den einzelnen, sondern mit Ernst auch für die

Kirche Gottes den jüngsten Tag ersehnten. Das führt
uns noch einmal fragend zu den Erwägungen unseres
ersten Abschnittes zurück. Wir pflegen heute von dem
alten Luthertum zu urteilen, es habe das Evangelium
und zumal die biblische Hoffnung individualistisch ver-
engt. Die Gedanken der Väter, so heißt es, waren
allermeist auf das Heimgehen des einzelnen Christen,
auf die Bewährung seines Glaubens im Leiden und
Sterben, auf seine Auferstehung, das Bestehen im
Gericht und das ewige Leben gesammelt. Das Luthertum lehrte die Bereitung auf ein seliges Sterben und
pflegte das Heimweh der Seele nach der himmlischen
Welt. Aber wie stand es um das Harren auf den
wiederkehrenden Herrn, der seine Kirche vollendet,
um das sehnliche Warten auf den Tag des Reiches
Gottes, an dem Satan und Welt endgiltig über-
wunden sind?

Die Hoffnung wird jedesmal dann eng und arm,
wenn das Verständnis für die Kirche Gottes erlahmt.
Wo das Lied von der Kirche, ihrer Herrlichkeit und
ihrem Kampfe voll erklingt, da singt man auch sehnsüchtig und mächtig von dem Ende und der Vollendung
durch Christi Wiederkunft. Nun hat das Luthertum gewiß
nur einen matten und unzulänglichen Nachklang der Gedanken Luthers vom Volke Gottes gehabt. Aber das
Lied von der Kirche, das Luther so gewaltig anstimmte,

hat auch in den folgenden Geschlechtern nie geschwiegen. Dafür sorgte schon der Ernst des Kampfes. Man stand als Kirche im Kampfe, litt, bangte, hoffte, jubelte für die Kirche Gottes. Selnecker betete um 1570: „Herr Jesu, hilf, dein Kirch erhalt." Im 17. Jahrhundert entsprangen inmitten der Gegenreformation, unter der Schwere der Verfolgung die großen Kreuz= und Trost= lieder der Kirche, von niemandem mächtiger, mit mehr Herzblut gesungen als von Johann Heermann, z. B.: „Herr unser Gott, laß nicht zuschanden werden;" „Treuer Wächter Israel;" „Zion klagt mit Angst und Schmerzen." Die große Zwiesprache Gottes mit Zion im Buche des zweiten Jesaja lieh diesen Liedern Ge= danken und Worte. Voran steht hier der wundervolle Gesang Johann Horns aus dem Gesangbuche der böhmisch=mährischen Brüder von 1544: „Lob Gott getrost mit Singen, frohlock, du christliche Schar." Die drei schönsten seiner neun Strophen sind in einige wenige neuere Gesangbücher übergegangen, aber leider unserem deutschen Christenvolke im ganzen unbekannt geblieben. Und wir haben doch wahrlich keinen Über= fluß an Liedern von Kampf und Hoffnung der Kirche. Was können diese drei Strophen in ihrer Frische und Trostkraft der Kirche unter dem Kreuz, sonderlich in der Zerstreuung der abgetretenen Gebiete bedeuten!

„Laß dich durch nichts erschrecken,
O du christgläubge Schar!
Gott wird dir Hilf erwecken
Und selbst dein nehmen wahr.
Er hat dich ja gezeichnet
In seine heilgen Händ',
Dein Nam stets vor ihm leuchtet,
Daß er sein Hilf dir send."

„Es tut ihn nicht gereuen,
Was er vorlängst gedeut,
Sein' Kirche zu verneuen
In dieser bösen Zeit.
Er wird herzlich anschauen
Ihr Jammer und Elend,
Sie herrlich auferbauen
Durchs Wort und Sakrament."

„Gott solln wir billig loben,
Der sich aus großer Gnad
Durch seine milden Gaben
Uns kund gegeben hat.
Er wird uns auch erhalten,
In Lieb und Einigkeit,
Und unser freundlich walten
Hier und in Ewigkeit."

Weil man so um die Kirche wußte, hatte auch die
bewegte Geschichte, die man durchlebte, nicht nur den
Sinn, Kreuzesschule für den einzelnen Christen zu sein:
die Kirche erlebte Geschichte, und zwar Endgeschichte.
Der Widerchrist ist am Werke, der Satan arbeitet

wider Gottes Reich, wendet die Leute von Gottes
Wort. In der Schwere des Kampfes und der Not
fleht die Christenheit, daß Gottes Gericht komme. Es
ist nicht der Gerichtstag für den einzelnen nur (so
ernst man ihm entgegenging), sondern der Sieg des
Herrn über die alte Schlange und das Satansreich:

> „Dein lieben Kinder warten all,
> Wann doch einmal die Welt zerfall
> Und wann des Teufels Reich vergeh
> Und er in ewigen Schanden steh."   (Alberus.)

Die Weite und Fülle der biblischen Hoffnung ist hier
durchaus gewahrt. Man wußte um den Satan und
sein „Reich". Daher behielt auch der Ausblick auf
den jüngsten Tag die Größe der Reichshoffnung. Ebenso
galt die Wiederkunft des Herrn nicht nur dem einzelnen,
sondern seiner „Christenheit". Darauf wiesen ohnehin
immer wieder die biblischen Bilder von der Hochzeit
des Bräutigams mit der Braut. Das Brautmotiv hat
das Lied von der Kirche im Reformationsjahrhundert
und darüber hinaus stark bestimmt. Dadurch behielt
die Erwartung des letzten Tages Reichtum:

> „Christus wird heimführen sein Braut,
> Die in der Tauf ihm ist vertraut,
> Für welche er sein Leben ließ,
> Die nun sein Reich und Erbgut ist."
>
> (Nikolaus Herman.)

Althaus, Der Friedhof unserer Väter.   9

Freilich, so herrlich der Ton von der Vollendung
der Kirche auch erklang, er trat, mindestens im 17. Jahr=
hundert, hinter dem Jubel über die Begegnung des
einzelnen Christen mit dem Herrn zurück. Man wußte
wohl in der Lehre noch, was Kirche und Gemeinde
hieß, aber im Glaubensleben verlor es an Bedeutung.
Paul Gerhardt mag als Beispiel dienen. Zwar bietet
sein Adventslied die glaubensstarke Strophe vom Kommen
des Königs, „dem wahrlich alle Feind auf Erden viel
zu wenig zum Widerstande seind", und es deutet wohl
auf den letzten Advent: „der Herr wird sie zerstreuen
in einem Augenblick" — aber dieser Klang bleibt ver=
einzelt. Und es ist gewiß kein Zufall, daß Gerhardts
Lieder von den letzten Dingen, auch das schöne, innige
„Vom jüngsten Tage": „Die Zeit ist nunmehr nah,
Herr Jesu, du bist da," nur von der Seligkeit des
einzelnen, Jesus zu schauen, seines Herzens Sprechen
zu hören und seine ewige Freude zu kosten, reden.
Vom Volke Gottes, von dem Reiche des Vaters, von
der Gemeinschaft mit den Vollendeten hören wir kein
Wort. Die Schwere des Kampfes zwischen Kirche und
Welt, die Spannung auf das Hereinbrechen des Reiches
zittert nicht durch diese Gesänge. Erst der Pietismus
hat zu der Fülle der biblischen Reichserwartung zurück=
geführt. Er lernte wieder, daß es eine Geschichte des
Reiches Gottes gibt, zumal seit er das Missionswerk

angriff, also Geschichte erleben und wirken durfte.
Das gab dem Gebete für die Kirche neuen Inhalt,
neue Spannung — man betet wieder mit großem Ernste
um das Kommen des Reiches —, das bestimmte auch
das Zukunftsbild des Pietismus tief. Die Herrlichkeit
des jüngsten Tages ist die Herrlichkeit des Königs und
seines Reiches. „O des Tags der Herrlichkeit, Jesus
Christus, du die Sonne, und auf Erden weit und breit
Licht und Wahrheit, Fried und Wonne!" Der Preis
des großen Königs in seiner letzten Offenbarung erklingt im alten Luthertum wenig. Auch wo man die
Rettung seiner Kirche, die Überwindung des Satans
von dem wiederkehrenden Herrn erwartete, blieben die
Gedanken eben an der Not und Errettung der Christenheit haften. Die letzte Höhe, das Ausschauen auf
Gottes Sieg um Gottes willen, auf Jesu Herrlichkeit
und Majestät um Jesu willen, ist nicht erreicht. Es
gibt zu denken, daß das Pauluswort von dem Erhöhten,
dem jedes Knie sich beugen und jede Zunge huldigen
soll, die alten Lieder vom jüngsten Tage kaum bestimmt
hat, und daß Verse, in denen die Anbetung des verklärten Königs vorweggenommen wäre, fehlen. Auch
hier hat der Pietismus erst den vollen Ton gefunden.
Es sei nur an Tersteegens anbetendes Himmelfahrts-
lied „Siegesfürste, Ehrenkönig", an Rambachs „König,
dem kein König gleichet" und an Ph. Fr. Hillers, des

9*

Bengel-Schülers, „Jesus Christus herrscht als König„ erinnert.

———————

Damit wenden wir uns den Liedern unserer Gesang= bücher vom letzten Tage im einzelnen zu.

In dem Sange vom letzten Gerichte schließt sich die lutherische Kirche eng mit der mittelalterlichen zusammen. Vom 11. Jahrhundert an, vollends im 13. Jahrhundert ergriff die Gewißheit des Endgerichtes die Gemüter der Menschen mit mächtiger Gewalt, in Italien wie in Deutschland. Aus jenen Tagen stammt neben anderen Liedern, die den Gerichtstag mit erregter Stimmungs= malerei schildern, das berühmte „Dies irae, dies illa", das Thomas von Celano zugeschrieben wird. „Tag des Zorns, o Tag voll Grauen" — ein Lied voll erhabener Pracht des Ausdrucks, ein Gesang, dessen große Schritte von düsterer Malerei zu bebender Angst, zu flehentlichem, immer erneuten Anrufen der Barm= herzigkeit Jesu erst beim Hören des lateinischen Originals mit seiner vokalischen Tonmalerei völlig hervortreten. In jeder Seelenmesse (Requiem) wird das Dies irae zwischen Epistel und Evangelium gesungen. Wir kennen seine erschütternde Gewalt, wie sie allein schon in Vokal= klang und Musik liegt, aus Goethes Faust: Gretchen bricht während dieses Liedes unter Gewissensqualen zusammen. Welchen Anreiz bildete es für die Kom=

poniſten, die „reiche Fülle wechſelnder Stimmungen und
Bilder" (H. A. Köſtlin) muſikaliſch auszuſchöpfen und
nachzubilden! Man muß das Lied in Mozarts Requiem
auf ſich wirken laſſen; die furchtbare Erregung, die
den Dichter wie ſeine Zeitgenoſſen gepackt hat, kommt
hier zur Wiedergabe.

Neben dieſem gewaltigen Liede tritt Bartholomäus
Ringwalds deutſche Geſtalt „Es iſt gewißlich an der
Zeit" auf den erſten Eindruck zurück. Statt der
glühenden, malenden Sprache des Italieners hier eine
faſt lehrhafte Nüchternheit; und doch ſteht dem deutſchen
evangeliſchen Gemüte die zurückhaltende bibliſche Art,
der Ton der Heilsgewißheit, der auch durch die Bitten
geht, näher als die drängende Leidenſchaft des roma-
niſchen Liedes. Zumal die letzten Strophen ſind in
ihrer Schlichtheit groß: „O Jeſu Chriſt, du machſt es
lang mit deinem jüngſten Tage, den Menſchen wird
auf Erden bang von wegen vieler Plage; komm doch,
komm doch, du Richter groß, und mach uns bald in
Gnaden los von allem Übel! Amen."

Während dieſes Lied in der Strenge der Schrift-
ſprache einhergeht, liegt es auf dem urſprünglich nieder-
deutſchen Weckruf eines namenloſen Dichters „Wacht auf,
ihr Chriſten alle" wie die Schwüle vor dem Herannahen
des Furchtbaren. Mit unbarmherziger Schroffheit, in
kurzen Sätzen ruft er ſein „Wacht auf". Die Melodie

— ursprünglich nicht zu dem Liede gehörig, aber innig mit ihm verwachsen — steigert den Eindruck: sie ist herbe, in ihren ersten Zeilen wie andringende Posaunen= stöße, wie beunruhigender Alarmruf. Eigenartig und wertvoll ist die im lutherischen Liede seltene Ermahnung zur Barmherzigkeit gegen die Armen, „daß sie euch nicht beschämen, wenn ihr vor G'richt sollt stehn."

Die Darstellung des Furchtbaren im Kirchenliede ist ein Problem. Wer möchte von den Qualen der Verdammten singen? So deuten die Dichter meist das Schreckliche nur an. Sie bleiben in der Zurückhaltung der Bibel und beschränken sich auf die schlichte Wieder= gabe ihrer Bilder. Aber der ganze Ernst der furcht= baren Möglichkeit, die über jedem Leben schwebt, zwang doch auch zu selbständigem Nachsinnen über das, was „Ewigkeit" ohne Gott bedeuten muß. Von mächtiger Wirkung bleibt hier Johann Rists „O Ewigkeit, du Donnerwort", das allerdings in unseren Gesangbüchern von 16 auf 6 Strophen gekürzt werden mußte. Der Einsatz mit der ersten Strophe ist von erschütternder Größe. Am Schlusse kehrt sie wieder, nur daß an die Stelle des furchtbaren Erzitterns („Mein ganz erschrocknes Herz erbebt, daß mir die Zung am Gaumen klebt") in wundervollem Gegensatze die Bitte tritt: „Nimm du mich, wenn es dir gefällt, Herr Jesu, in dein Freuden= zelt!" Aber auch die anderen Strophen sind um ihres

gewaltigen Ernstes willen unentbehrlich, wenn nicht im
Gottesdienste, dann jedenfalls im eigenen Gebetsleben
und in der Seelsorge. Man merkt es einem Menschen
an, ob er von der Furcht Gottes, die dieses Lied atmet,
weiß oder nicht. Freilich — es darf nicht verschwiegen
werden — der Gesang hat seine Schranken. Für den,
der Jesus kennt, gibt es nur ein Furchtbares: Aus-
gestoßensein von des Vaters Liebe, Ausgeschlossensein
aus seinem Leben, hingegeben an die vollkommene
Nichtigkeit. Das ist die Qual, das ist Verlorensein,
das heißt ewiger Tod. Man muß wissen, was Gott ist,
„das Größte, das Schönste und Beste," um zu ermessen,
was die Ewigkeit ohne Gott bedeutet. Auch hier kommt
der letzte Ernst, das tiefste Erzittern nicht aus dem Gesetz,
sondern aus dem Evangelium, das uns vor die ganze
Herrlichkeit und Süßigkeit Gottes stellt. Jetzt erst wird
der Gedanke furchtbar: ein Leben ohne Gemeinschaft
mit diesem Gott! Unser Lied erreicht diese Höhe nicht,
die Vorstellung bleibt mehr sinnlich als religiös; mehr
die formale Art der Ewigkeit als „Zeit ohne Zeit",
die Endlosigkeit der Pein, läßt das Herz erbeben als
der furchtbare Gehalt: Verworfensein von Gott, zerrissene Gemeinschaft. Aber innerhalb dieser Schranke
hat das Lied mächtige dichterische Gewalt. Vielleicht
daß diese auch den Schlichten hinnehmende Gewalt
gerade und nur durch die Beschränkung auf das Sinn-

liche möglich ist. Die Unerbittlichkeit, die Monotonie, die Verfallenheit, die in dem Worte „Ewigkeit" liegt — wie dringt sie auf uns ein:

> „Die Ewigkeit nur hat kein Ziel,
> Sie treibet fort und fort ihr Spiel,
> Läßt nimmer ab zu toben."
> „Nichts ist zu finden weit und breit
> So schrecklich als die Ewigkeit."

Wir brauchen neben allen den lichten Liedern vom ewigen Leben diesen harten Ton. Es gab Zeiten und gibt Menschen, die ihn nicht ertragen und als roh schelten. Aber das spricht nicht gegen ihn.

Und nun vollends die Melodie! Wird sie zu der ersten Strophe gesungen, so geht sie durch Mark und Bein. Wie ein Aufschrei steigt sie in der ersten Zeile bis zur Oktave an, um dann in der zweiten Zeile — eine gewaltige Kühnheit — wie in tiefster Trostlosigkeit bis zum Grundton zurückzusinken und in neuer einfacher Bewegung gleichsam zaghaft in kleineren Intervallen über ihm sich zu halten. In der letzten Zeile „daß mir die Zung am Gaumen klebt" wiederholt sich der Aufschrei („Zung") und das verlöschende, trostlose Zurücksinken aus der Oktave in den Grundton („am") — rein musikalisch angesehen ist diese Weise eine der größten protestantischen Kirchenmelodien.

Neben die Lieder vom Gerichte mögen die von der Auferstehung treten. Das Geheimnis der Auferstehung wird in manchem Liede angerührt, sehr sinnig in dem schon erwähnten altchristlichen „Höret auf mit Trauren und Klagen." Der Osterglaube an den Lebendigen, der den Seinen die Auferstehung verbürgt und schenkt, findet — außer in den Osterliedern im engeren Sinne — besonders mächtigen Ausdruck in dem an Hiob 19 25 ff. anschließenden Gesange „Jesus, meine Zuversicht". Leider gehört alles, was man über den Verfasser geschrieben hat, in das Reich der Vermutungen. Ein Unbekannter hat uns um 1650 dieses Lied gegeben, das vor fast jedem Soldatensarge erklungen ist. Was uns an ihm immer wieder erhebt, ist vor allem der Blick auf Jesus. Er lebt — darauf geben wir uns im Tode zufrieden. Ihn werden wir schauen — Größeres ist von der Ewigkeit nicht zu sagen. „Dieser meiner Augen Licht wird ihn, meinen Heiland, kennen." Was für eine Kraft der Zuversicht wohnt gleich in den ersten Strophen. Machtvoll wird zweimal die große Ostertatsache bezeugt. Und dann folgt jenes wundersam=tröstende „Warum sollte mir denn grauen? Lässet auch ein Haupt sein Glied ...", das uns an Klänge in „Herzlich tut mich verlangen" und „Wenn mein Stündlein vorhanden ist" erinnert. Der Segen dieser drei ersten Strophen in der Herzensgeschichte unzähliger Christen an Gräbern und

auf Sterbebetten ist nicht auszusagen. Aber die späteren
Strophen geben den ersten nichts nach. Zwar fehlt die
fünfte des ursprünglichen Liedes („Dann wird eben
diese Haut mich umgeben, wie ich gläube") mit Recht
in den meisten neueren Gesangbüchern; ihre Wendungen
über den Zusammenhang des himmlischen Leibes mit dem
irdischen ruhen auf der falschen Lesung von Hiob 19 26,
wie unsere älteren Bibeln sie bieten, und streiten mit
dem Neuen Testamente, besonders mit 1. Kor. 15 50.
Aber desto unentbehrlicher ist uns die große Hoffnung:
„Was hie kranket, seufzt und fleht, wird dort frisch
und herrlich gehen." Wie muß das in Bethel und
seiner „Gemeinde der Sterbenden" klingen! Und die
nächsten Strophen stimmen mit ihrem „seid getrost"!
„lacht des Todes"! zu einer Überwinderfreude, daß
es schon wie lauter Auferstehungsmorgen über dem
Friedhof liegt, daß der andringend=ernste Mahnruf am
Schlusse: „Nur daß ihr den Geist erhebt..." lauter
frohes Evangelium ist. Zu dieses Gesanges Seele, Kraft
und Segen gehört seine herrliche Melodie, voll Oster=
ahnen und Osterstärke, mit hinzu. Text und Weise
sind uns so eins geworden, daß schon die Weise jetzt
alle Trostkraft, alle Osterfreude des Textes in sich birgt.
Erklingt sie, so wird unmittelbar auch dem Fernstehenden
die ganze selige Welt der „lebendigen Hoffnung" auf=
getan. Ihre letzte Zeile mit den starken, hohen Tönen

weckt ein Vorahnen jener Stunde, „wann die letzt Posaun erklingt, die auch durch die Gräber dringt."

Hundert Jahre später sang Klopstock sein auffallend schlichtes und doch von mächtigem inneren Pathos durchwaltetes Lied „Auferstehn, ja auferstehn wirst du". Den tiefen Eindruck auf die Zeitgenossen verstehen auch wir. Seliges Ahnen und anbetendes Staunen zieht durch die feierlichen Verse. „Mit Jesu gehn wir ein zu seinen Freuden. Der müden Pilger Leiden sind dann nicht mehr" — das Herz brennt unter diesen Worten. Mit jeder Wendung des knappen Ausdrucks erreicht Klopstock das Größte. „Ach ins Allerheiligste führt mich mein Mittler dann" — gibt es ein größeres, ergriffeneres Wort für jene unaussprechliche Stunde? Seht ihr sie, die Vollendeten, an Jesu Hand wie die Träumenden, leuchtenden Antlitzes, versunkenen Blicks zum Vater ziehen? Oder man achte auf die doppelte Steigerung des Ausdrucks in der dritten Strophe: „Tag des Danks, der Freudentränen Tag, du meines Gottes Tag!" „Meines Gottes Tag", das Letzte, Höchste, Reichste, das gesagt werden kann — das ist biblische Tiefe der Hoffnung, biblische Größe des Ausdrucks. — Die Melodie von K. H. Graun 1758 ist fast zu weich in ihrem Jubel, doch wie Klänge aus der verklärten Welt. —

Seine Vollendung findet das evangelische Lied vom jüngsten Tage dann, wenn es von der seligen Wieder= kunft des Herrn zu seiner Kirche singt. Zwar bieten unsere Gesangbücher hier nur wenige Gesänge; aber gleich der erste ist so groß, daß er viele ersetzt, Philipp Nikolais Wächterlied aus dem „Freudenspiegel des ewigen Lebens", 1597 in der Pestzeit zu Unna ge= sungen: „Wachet auf! ruft uns die Stimme der Wächter sehr hoch auf der Zinne." In den ersten beiden Zeilen knüpft der Gesang an das Wächtermotiv der „Tag= weisen", wie mehrere Volkslieder es bieten, an. Auch innerhalb der geistlichen Dichtung hat Nikolai Vorbilder. In Johann Walthers Gesangbüchlein von 1551 finden sich zwei Wächterlieder von der Wiederkunft des Herrn. Da heißt es z. B.:

> „Wohlauf, wohlauf! mit lauter Stimm
> Tut uns der Wächter singen.
> Wer noch in seinen Sünden liegt,
> Der mach sich bald von hinnen!
>   Ich sehe daher
>   Der Engel Schar
>   Ein großes Heer
>   Durch die Wolken jetzt dringen."

> „Wohlauf, wohlauf! ich Wächter sehe
> Den Herrn Christ auch kommen
> Mit einem hellen Kreuz und Speer,
> Ein Schwert führt er im Munde,
>   Welchs scharf und klar,
>   Ein gülden Rohr
>   Hält er empor,
>   Geht ihm vor der Heilgen Chor."

Die Kraft dieses apokalyptischen Bildes ist un=
verkennbar. Aber wie weit bleibt es hinter Nikolais
Gesicht zurück! Was hat dieser begnadete Dichter aus
dem apokalyptischen Bilderstoffe — Jesu Gleichnis, die
Offenbarung und Motive des Hohenliedes („ihr Freund")
halfen das Lied formen — mit schöpferischer Freiheit
gestaltet! Das Evangelium von den zehn Jungfrauen
gibt das Hauptmotiv. Nikolai war nicht der erste, der
das Hochzeitsgleichnis im Liede verwendete; es sei nur
an Johann Walther und Nikolaus Herman erinnert.
Aber niemand sonst läßt die mächtige Bewegung, die
hohe Spannung des Gleichnisses Jesu so miterleben!
Man achte nur auf die Gliederung des Gesanges:
Drei große Bilder in den drei Strophen, die erste und
zweite Strophe schreiten in starker, dramatischer Be=
wegung fort, die dritte bleibt stehen in der vollendeten
Anbetung, der unaussprechlichen Freude der Ewigkeit.
Die erste Strophe ist der mitternächtige Wächterruf an
Zion, die zweite schildert, lebhaft bewegt, Zions Freude,
wie sie den Bräutigam hört und mit ihm zum Freuden=
saal zieht, die dritte bringt einen Lobgesang, das Gloria
der Gemeinde, die sich schon im Chore der Engel stehen
sieht, für ihren König, einen jauchzenden Preis der
himmlischen Stadt, wie er in so eindringlicher Gewalt
mit so wenig Worten keinem anderen Dichter geglückt
ist. Freilich, dieses Lied darf man nicht lesen, es kann

nur gesungen werden, in der rhythmischen Gestalt seiner
vielleicht von dem Dichter selber herrührenden Melodie,
von der man geurteilt hat, sie sei nächst „Ein feste Burg"
wohl die gewaltigste in dem Melodienschatze der evangelischen Kirche. Wie durchdringen und umschließen Text
und Melodie einander, z. B. gleich bei dem Wächter-
rufe, aber auch bei den Worten „Zion hört die Wächter
singen, das Herz tut ihr vor Freude springen", oder
in dem unvergleichlich=prächtigen Anfange der dritten
Strophe, dem „Gloria sei dir gesungen" — wer das
einmal wirklich gehört hat, dem fällt es schwer, in
unseren Gesangbüchern und Gottesdiensten der königlichen Melodie noch ein Dutzend ganz andersartiger,
zum Teil mittelmäßiger Texte untergelegt zu sehen.

Das Evangelium von den zehn Jungfrauen hat
noch einem anderen Liede Inhalt und Gestalt gegeben.
Der Bremer Domkantor Lorenz Lorenzen (Laurentius
Laurenti, 1660—1722) sang das schöne, kräftige Lied
von dem Kommen des Bräutigams: „Ermuntert euch,
ihr Frommen, zeigt eurer Lampen Schein." Es reicht
nicht an das vorige heran; die Geschlossenheit des
Wächterliedes ist einer frohen Fülle von Bildern ge-
wichen. Aber schon um seiner letzten Strophe willen
verdient Laurentius' Gesang eine ehrenvolle Stelle in den
Gesangbüchern. Das neutestamentliche „Ja, komm, Herr
Jesu"! tönt wieder aus dem Gebete: „O Jesu, meine

Wonne, komm bald und mach dich auf ... O Jesu, mach ein Ende und führ uns aus dem Streit, wir heben Haupt und Hände nach der Erlösungszeit." Es ist nicht zufällig, daß mehreres in diesem Gesange an die Adventslieder erinnert. Das Warten auf die herr= liche Wiederkunft des Herrn, die Sehnsucht nach seinem letzten Advent schließt das Kirchenjahrsende und die Adventszeit zusammen. In Michael Schirmers „Nun jauchzet all, ihr Frommen" gehen die Augen des Glaubens von dem Herrn, der auf einem Eselein zu uns kommt, zu dem König, der einst wiederkommt: „Er wird nun bald erscheinen in seiner Herrlichkeit;" Paul Gerhardts Adventsgesang „Wie soll ich dich empfangen" erhebt sich zuletzt zu der mächtigen Strophe: „Er kommt zum Weltgerichte." So tönen die Glocken der letzten Sonntage des Kirchenjahres in der Advents= zeit weiter. — —

Zum Schlusse sei eines späteren Liedes gedacht, das auch an das Jungfrauengleichnis sich anschließt. Zwar ist die Beziehung auf die Kirche, wie Nikolais Wächter= lied sie bot, verloren gegangen. Es geht um die ein= zelne Seele. Aber der Einsatz mit der ersten Strophe, das andringende Fragen und Mahnen der späteren machen das Lied wert, in unseren Gottesdiensten und Andachten fortzuleben:

„Der Herr bricht ein zu Mitternacht:
Jetzt ist noch alles still,
Wohl dem, der sich nun fertig macht
Und ihm begegnen will."

„Sind eure Lampen rein und voll?
Brennt euer Glaubenslicht?
Wenn nun der Aufbruch werden soll,
Daß ihm kein Öl gebricht."

„Sei immer wach, mein Geist und Sinn,
Und schlummre ja nicht mehr!
Der Bräutgam kommt, schick dich auf ihn,
Er kommt mit seinem Heer."

„Geh hin, o Seel! Geneuß dein Los,
Das er dir zugedacht:
Dein Teil und Heil ist schön und groß.
Das dir dein Bräutgam bracht."

———————

Wir sind durch den Friedhof gewandert; freilich nicht auf allen seinen Pfaden und Gängen. An den Kindergräbern, zu denen uns Joh. Heermann, M. Schirmer, Paul Gerhardt und viele andere rufen, an dem sinnigen Grabstein, den Joh. Heermann seiner ersten Ehefrau gesetzt hat (Ach Gott, ich muß in Traurigkeit mein Leben nun beschließen), sind wir nicht stehen geblieben, wir haben auch an den anderen Gräbern nicht alles beachtet, was zu betrachten und zu bedenken war. Aber wir spüren längst, daß in diesem Friedhof

Luft aus der Ewigkeit weht, kräftig, die Herzen zu
stärken und zu reinigen. Wohl dem, der immerdar
aus dem Vielerlei und der Arbeit des Lebens den Weg
hierherfindet. Er erlebt etwas wie eine Erfüllung dessen,
was als Bitte durch Marie Schmalenbachs vielgeliebtes
Ewigkeitslied zieht:

> „Brich herein,
> Süßer Schein
> Sel'ger Ewigkeit!
> Leucht in unser armes Leben,
> Unsern Füßen Kraft zu geben,
> Unsrer Seele Freud."

> „Ewigkeit,
> In die Zeit
> Leuchte hell hinein,
> Daß uns werde klein das Kleine
> Und das Große groß erscheine,
> Sel'ge Ewigkeit!"

———————

Anmerkungen.

1. An der Pforte.

Zu S. 18. Johann Heermanns geistliche Lieder. Herausgegeben von Ph. Wackernagel. Stuttgart 1856.

Zu S. 20. In der Pflege der „Sterbekunst" setzten sich Traditionen des späteren Mittelalters fort. Vgl. H. Falck, Die deutschen Sterbebüchlein von der ältesten Zeit des Buchdrucks bis zum Jahre 1520. (Schriften der Görresgesellschaft zur Pflege der Wissenschaft im katholischen Deutschland.) 1890. — Luthers Sermon von der Bereitung zum Sterben von 1519 gehört der Literaturform nach in die lange Reihe der Büchlein zur Vorbereitung auf den Tod. Luther selber empfahl z. B. Staupitz' „Büchlein von der Nachfolge des willigen Sterbens Christi". Enders, Briefwechsel 2, 29. Im übrigen vgl. auch O. Scheel, M. Luther I, S. 15 f.

Zu S. 22: Die Stelle aus Luthers Predigt siehe E. A. 2. Aufl. 20 II, 345 f. Für die Verbindung von Taufe und Tod vgl. den Brief an Pfarrer Gnesius, Enders 8, 91 f. Accedit ad hoc, quod mortuis quoque talem vestem induamus ad memoriam baptismi nostri, in quo baptizamur in mortem Christi, ut significetur et in baptismo et in morte resurrectio mortuorum, cum aliud baptismus non sit, quam mors ad vitam futuram.

Zu S. 24. Das Wort Hofmanns steht in seinem feinen, inhalt-schweren Liede „Karfreitag und Ostern": „Nun kenn ich erst das Leben." Abgedruckt Zeitschr. f. kirchl. Wissensch. und kirchl. Leben. VI. 1885. S. 669. Auch Monatsschrift für Gottesdienst und kirchl. Kunst XV. 1910. S. 356.

Zu S. 27. Luthers Predigten über 1. Kor. 15 stehen E. A. 2. Aufl. 20 II S. 313—355. Die angeführten Stellen S. 340 f. 337.

Zu S. 29. Die schöne Stelle, die das Christensterben der Geburt vergleicht, findet sich im „Sermon von der Bereitung zum Sterben" 1519. W. A. 2, 685 f. = E. A. 21, 256 = Clemen I, 162. G. Th. Fechner, Das Büchlein vom Leben nach dem Tode. 5. Aufl. 1903. S. 1—3.

Zu S. 31. Zur Verwendung von Jes. 26 20 f. Luther, E. A. 56, 303. Kaspar Francks glaubensfrohes Lied s. bei Wacker-nagel, Das deutsche Kirchenlied III S. 1148 f. Ambrosius Blaurers Gesang „Von Auferstehung der Toten und ewigem Leben" ebendort S. 595 f. Seine 21 Strophen singen alle großen Hoffnungsworte des Alten und Neuen Testamentes nach. In der vierten Strophe erklingt Jes. 26 in wunder-vollem Tone:

> „Gang hin, min volck, vnd schlaff nun in,
> schlüß nach dir zu din kämmerlin
> vnd ruw ein kleine wile,
> bis das min zorn fürüber sy:
> so wirt das erdrich geben fry
> die todten all in ile."

Bei Franck heißt es:

> „Jetz gehn wir inn das kemmerlein,
> Darein vns Gott verstecket
> Bis alle feind füruber sein,
> Denn wirt er vns auffwecken."

10*

Die Beziehung der Jesajasstelle auf die Ruhe im Grabe wird vielleicht auch durch das Wort „Kammer" vermittelt sein.

2. Das Begräbnis und das Gedächtnis der Vollendeten.

Zu S. 34.   Zu den Seelenmessen usw. s. Thalhofer, Liturgik II² S. 251 f. 463 ff.

Zu S. 36.   Luther über die Fürbitte für die Toten s. E. A. 15² S. 521.   Für die weitere Geschichte der Fürbitte in der evangelischen Kirche s. P. Graff, Geschichte der Auflösung der alten gottesdienstlichen Formen in der evang. Kirche Deutschlands. 1921. S. 360 f.

Zu S. 37.   Luthers Vorrede zum Begräbnis=Liederbuche von 1542 steht E. A. 56, 299 ff.

Zu S. 39.   In Sterns Gesangbuch Lüneburg 1640 stehen die lateinische und drei deutsche Versionen von „Jam moesta" nebeneinander. S. 297 f.

Über Luthers Begräbnisliederbuch von 1542 (Christliche Gesäng Lateinisch und Deutsch, zum Begräbnis) s. Ph. Wackernagel, Bibliographie zur Geschichte des deutschen Kirchenliedes im 16. Jahrhundert. S. 177. — Welche Lieder weiterhin in der lutherischen Kirche bei den Begräbnissen gesungen wurden, dafür vgl. etwa das Lüneburger Gesangbuch von 1640 S. 296 ff. und Graff a. a. O. S. 356 f.

Zu S. 40.   Luthers Urteil über „Nun laßt uns den Leib begraben" steht in der Vorrede zum V. Babst'schen Gesangbuch 1545. E. A. 56, 308.

Zu S. 44. Zur Verarmung der Beerdigungen vgl. Nelle, Schlüssel zum evangelischen Gesangbuch für Rheinland und Westfalen. 1920. S. 266 f.

nur drei bringt, jene bietet. Vgl. für die Bedeutung der
Seitenwunde in der Brüdergemeine die Stelle in der
„Litanei vom Leben, Leiden und Sterben Jesu" Nr. 585:
„Deine heilige Seitenwunde bleib unsre Zuflucht in aller
Not." Im „Liturgienbuch der evang. Brüdergemeine"
Gnadau 1907 fehlt dieser Passus.

Zu S. 78. Joh. Kempfs „Sterbegesang" s. bei Fischer=Tümpel,
Das deutsche evang. Kirchenlied des 17. Jahrhunderts. I.
S. 27. Das Lied, von dem wir im Texte drei Strophen
bringen, hat deren 8. Einige von ihnen, besonders die
fünfte, sprechen von Christi Blut und Wunden schon in
der Art der späteren Wundenpoesie. So heißt es von
den Wunden: „Darein will ich mich finden sein und mich
darin verdecken, gleichwie ein klein Wald=Vögelein im
hohlen Baum verstecken." Es ist wieder bezeichnend, daß
das Gesangbuch der Brüdergemeine von 1783 unter den
zwei Strophen des Liedes, die es überhaupt bietet, gerade
diese bringt, allerdings ein wenig im Wortlaut verändert
(Nr. 626).

5. Das Lied vom Heimgang.

Zu S. 83. Joh. Heermanns „Was weinet ihr"? s. in Ph. Wacker=
nagels Ausgabe seiner Lieder S. 151.

Zu S. 83. Ambrosius Blaurers Gesang s. bei Wackernagel III,
S. 594 f. Unter den norddeutschen Gesangbüchern bietet
ihn z. B. das Sternsche, Lüneburg 1640, S. 272.

Zu S. 86. Die Stelle aus Luthers Sermon s. W. A. 2, 685 =
Cl. 1 162.

Zu S. 88. Zu den sonstigen Verdeutschungen des Simeons=
gesanges im 16. Jahrhundert s. Spitta, „Ein feste Burg"
S. 250 f.

Zu S. 89. Zinzendorfs Lied s. im Gesangbuch der Brüder=
gemeine von 1783, Nr. 399. Auswahl geistlicher Lieder.
Gütersloh 1861 S. 42.

Zu S. 92. Zu der Melodie von „Es ist genug" vgl. Joh. Zahn,
Die Melodien der deutschen evangelischen Kirchenlieder.
IV, S. 315. Sie stammt von J. R. Ahle 1662. Das auf=
fallende dis wurde später in d geändert. J. S. Bach ver=
wendete die erste Zeile in ihrer originalen Gestalt.

6. Das Lied von der Ewigkeit.

Zu S. 94 ff. 1913 und 1915, als ich die Sätze vom Christen=
heimweh schrieb, galt es, die „Jenseitigkeit" der Gottes=
welt gegen die „Diesseitsfrömmigkeit" stark zu betonen.
Wie ganz anders ist heute die Lage geworden! Heute
müssen wir gegenüber einer rein eschatologischen Auf=
fassung des Christentums den Schöpfungsglauben, die
Gewißheit, daß diese Welt Gottes Welt ist und daß man
in ihr dienend und bauend, an ihren Ordnungen mit=
schaffend ernstlich Gottes Willen tun kann, verteidigen.
Zum folgenden vgl. A. Schlatter, Die christliche Ethik 1914,
S. 332 ff. und mein Heft über die letzten Dinge 1922. S. 58 ff.

Zu S. 103. Joh. Walthers Lied s. bei Wackernagel III S. 187 ff.
Das Sternsche Gesangbuch, Lüneburg 1640, bringt das
ganze Lied, das Gesangbuch der Brüdergemeine von 1783
unter Nr. 1734 zwei Strophen.

Zu S. 106. Über „Jerusalem" vgl. auch die Worte eines „Profan=
Historikers". Max Lehmann (Historische Aufsätze und Reden
1911, S. 49) sagt von dem Jahre 1626, jener Zeit, in
der es um die Evangelischen und ihre Sache so schlimm
stand: „Damals hatten Scheidewünsche und Ewigkeits=
gedanken die Herzen erfüllt, von niemand herrlicher ver=

kündet als von jenem Manne, den man nicht ohne Grund
den deutschen Dante genannt hat, Johann Matthäus
Meyfart. Er dichtete das unbeschreiblich schöne Lied, das
in Vereinigung mit seiner majestätischen Melodie, viel=
leicht unter allem, was der deutsch=protestantische Geist
erschaffen, den adäquatesten Ausdruck der Ewigkeit dar=
stellt: „Jerusalem, du hochgebaute Stadt."

Zu S. 109. Zu P. Gerhardts Liede „Die Zeit ist nunmehr nah":
es ist begreiflich, daß die zweite der beiden im Text ge=
brachten Strophen mit ihrer Verehrung der Gliedmaßen
und Wundenmale in der Brüdergemeine besonders beliebt
war. Sie findet sich z. B. in der Liturgie am Ostermorgen
(Liturgienbuch, Gnadau 1907, S. 168).

Zu S. 113. Matthias Claudius' Lied s. in den Werken. 12. Aufl.
Gotha 1882, Perthes. 2, S. 45.

Zu S. 116. Klopstocks „Vorbereitung zum Gottesdienste" s. Werke,
herausgegeben von A. L. Back. 2, 385. Rheinisch=westfäl.
Gesangbuch Nr. 38.

Zu S. 121. Ein lehrreiches Beispiel für die Einzelausmalung
des „Gartens" mit Zügen des Hohenliedes und der Offen=
barung, doch im deutschen Volkston s. Wackernagel III 758:
Ein schön new lied, von der sehnlichen braut Christi.

7. Der jüngste Tag.

Zu S. 123. Lieder vom jüngsten Tage s. bei Wackernagel, Das
deutsche Kirchenlied III S. 145 f., 217 f., 335 ff., 772 f.
877 ff., 1070, 1158, 1217, 1242 f. Über den großen
Kometen s. Adam Reusners „new Lied vom neuen Stern"
S. 145 f. Luther sah in dem Reichstag zu Augsburg 1530
„die letzte Posaun und Drommete vor dem jüngsten Tage".
E. A. 62, 82. Die Predigt des Evangeliums als Vorzeichen

des Endes bei Nikolaus Herman S. 1242: „Man predigt das göttliche Wort / Zu breitem Blick an allem Ort: / Das Zeichen soll uns sein gewiß, / Das End der Welt nicht fern mehr ist." Dazu vgl. das Wächterlied S. 1133: „Wohlauf, wohlauf! der Wächter schreit / Ein neu Gesang er singet: / Christus in dieser letzten Zeit / Mit seim Licht fürher dringet / Dann sein Wahrheit / Sich ausgebreit / Die letzt Buson / Evangelium erklinget." Vielleicht ist auch in dem Liede S. 1070 „O Herr, sieh uns genädig an" die Posaune auf das Evangelium zu beziehen. —

Die Wendung vom „lieben jüngsten Tag" s. bei E. Alberus, Wackernagel III S. 881.

Zu S. 126 f. Lieder von der Kirche s. bei Wackernagel III S. 150 ff. (Adam Reusner). S. 360 f. Das dreistrophige Lied „Laß dich durch nichts erschrecken", aus der 6., 8. und 9. Strophe dieses Gesanges, mit einigen Änderungen des Versmaßes und Textes, bestehend, finde ich im „Gesangbuch zum Gebrauch der evangelischen Brüdergemeinen" Barby 1783 Nr. 1014 und in deutsch-baltischen Gesangbüchern. — S. 627. Dieses dichterisch nicht sonderlich wertvolle Lied Caspar Löners (schon 1527 gedruckt) gibt doch inhaltlich einen Eindruck von der Größe des reformatorischen Kirchengedankens. — S. 1038. („Ein Klagelied der heiligen christlichen Kirchen").

Zu S. 133. „Wacht auf, ihr Christen alle" findet sich zuerst niederdeutsch im Lübecker Enchiridion von 1545. Wackernagel III S. 920. Eine wörtliche Übertragung ins Hochdeutsche bietet z. B. das Sternsche Gesangbuch, Lüneburg 1640, S. 316 f. Heute steht es im Hannoverschen Gesangbuche Nr. 619, mit einer Änderung der sonst unverständlichen letzten Strophe.

Zu S. 140. Die beiden Wächterlieder aus Joh. Walthers Gesangbüchlein von 1551 s. bei Wackernagel III S. 186. Von
dem zweiten Liede meint W.: „Dieses schöne Lied scheint
von altem Herkommen. Vgl. auch W. III S. 1133: „Ein
tagweiß vnd ermanung vff den tag Christi sich zu be-
reiten." Das Lied beginnt: „Wohlauf, wohlauf! der
Wächter schreit, ein neu Gesang er singet."

Zu S. 141. Zum Hochzeitsbilde vgl. Joh. Walthers „Herzlich
tut mich erfreuen die liebe Sommerzeit", Str. 14 u. 15.
W. III S. 188. Das Gleichnis von den zehn Jungfrauen
wirkt hier nicht ein. Dafür vgl. aber W. III S. 186
(„Wohlauf, wohlauf! welchs Christen sein / kommt zu den
Hochzeitehren / ... Es wird die Tür / Geschlossen schier /
Wer zu mir will / Setz kein Ziel, verzieh nicht viel!")
Vor allem N. Herman, W. III S. 1217 in dem Liede
„Freut euch, ihr Christen, alle gleich" Str. 13, 19—21.

Zu S. 144. „Der Herr bricht ein zur Mitternacht," 6 Strophen,
finde ich im Gesangbuche der Brüdergemeine von 1783,
Nr. 1656. Der Thomas=Chor in Leipzig singt das Lied
in einer Vertonung von G. Schreck.

Register.

Das Register umfaßt außer den behandelten und berührten Liedern auch diejenigen im Texte besprochenen oder angeführten einzelnen Zeilen und Worte, deren Heimatsnachweis nicht schon durch den Zusammenhang gegeben wird. Ihnen ist in Klammern der Anfang des Liedes, dem sie entstammen, beigefügt. Wo das Register versagt, befrage man die Anmerkungen. Die Verse aus Alberus', Hermans und anderen Liedern, die der Leser ohnehin nicht in seinem Gesangbuch findet, sondern mit Hilfe der Anmerkungen in Wackernagels „Kirchenlied" nachsuchen muß, sind nicht in das Register aufgenommen.

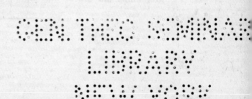

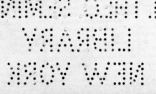